Bibliotheek Geuzenveld
Albardakade 3
1067 DD Amsterdam
Tel.: 020 - 613.08.04

afgeschreven

RAADSELS ROND EEN KIND

Karin Peters

Raadsels rond een kind

Bibliotheek Geuzenveld
Albardakade 3
1067 DD Amsterdam
Tel.: 020 - 613.08.04

UITGEVERIJ WESTFRIESLAND

Eerste druk in deze uitvoering 2006

NUR 344
ISBN 90 205 2781 9

Copyright © 2006 by 'Westfriesland', Hoorn/Kampen
Omslagillustratie: Hans Ellens
Omslagontwerp: Van Soelen, Zwaag
Alle rechten voorbehouden. Niets uit deze uitgave mag worden verveelvoudigd,
opgeslagen in een geautomatiseerd gegevensbestand, of openbaar gemaakt, in enige
vorm of op enige wijze, hetzij elektronisch, mechanisch, door fotokopieën, opna-
men, of op enige andere manier, zonder voorafgaande schriftelijke toestemming van
de uitgever.

HOOFDSTUK 1

Joanna Hoover was altijd al een tikje vreemd geweest. En dat kon ook niet anders, zei men. Als enig kind was zij opgegroeid bij ouders die de veertig al waren gepasseerd toen zij werd geboren. Ze woonde in Cornwall in een fraai huis met een grote tuin. Op het hek stond met vergulde letters: de Fairies-garden. Joanna zag in haar kinderjaren weinig andere mensen dan haar ouder, oom Stanley, een broer van haar oma die bij hen in huis woonde, en een kinderverzorgster. Joanna ging de eerste jaren niet naar school. Later kwam ze op een kostschool. Maar ze bleef een eenling die moeilijk contact maakte en daar blijkbaar ook geen behoefte aan had. Toen Joanna zeventien jaar was sloeg het noodlot toe. Ze zat bij haar ouders in de auto toen deze door een verkeerde manoeuvre tegen een vrachtwagen botste. Haar beide ouders waren op slag dood en Joanna was zwaar gewond. Zo ernstig gewond dat men vreesde dat ze het niet zou halen. De enige die haar in die tijd opzocht was een neef van haar. Hij had medelijden met het eenzame kind en speelde soms met haar. Hij was slechts vijf jaar ouder dan Joanna. Zij adoreerde Philip Harris wat hem soms wel eens benauwde. Hij voelde zich echter een beetje verantwoordelijk voor haar. Joanna bracht de volgende jaren in haar ouderlijk huis door. Oom Stanley woonde daar nog steeds.

Philip had van zijn grootouders een vervallen cottage geërfd, die hij van plan was helemaal zelf op te knappen. Hij was echter op een leeftijd dat andere zaken voorrang hadden. Zijn studie, meisjes, uitgaan. Een enkele keer bracht hij een weekend door in de cottage, ondernam dan een poging een deel van een kamer op te knappen. Af en toen werd er iets vernieuwd maar Philip had zelf het idee dat het tot zijn pensioen kon duren voor hij daar woonde. Het toeval wilde dat de cottage niet ver van Joanna's ouderlijk huis lag. Hij zocht zijn nichtje regelmatig op, maar meer uit een soort plichtsbesef dan dat hij zo dol op haar was.

Zo was hij degene die opmerkte dat Joanna dronk. In eerste instantie vond hij het eerder grappig dan verontrustend.

Maar toen hij haar een keer echt dronken meemaakte, en ze hem tijdens die dronkenschap vertelde dat ze van hem hield en met hem wilde trouwen, schrok hij hevig. Hij had Joanna altijd als een soort zusje beschouwd. Andere gevoelens had hij nooit voor haar gehad en zou hij ook niet krijgen, daar was hij zeker van.

Die avond scheen het Joanna niet te kunnen schelen hoe ze zich vernederde. Ze smeekte hem over de zaak na te denken. Ze had immers niemand dan Philip, zonder hem zou ze van eenzaamheid doodgaan. Het was voor het eerst dat Philip het gevoel had dat Joanna niet helemaal spoorde. Natuurlijk, als je teveel had gedronken, zei je vreemde dingen. Maar waarom dronk ze?

De volgende dag kwam ze hem opzoeken in de cottage. Ze had inmiddels een eigen auto. Ze werkte, evenals hij, op de luchthaven, en soms had hij spijt dat hij haar die tip had gegeven. Hij hoorde bij het grondpersoneel en Joanna was stewardess. Ze vloog meestal op Amsterdam en verbleef soms enkele dagen bij een vriendin. Philip kwam nooit te weten hoe die vriendin heette en twijfelde eraan of ze wel bestond.

„Het spijt me van gisteren," zei ze. Hij was bezig verf af te krabben, zijn donkere haar zat onder de verfsplinters. „Mij ook. Vooral dat je zoveel drinkt," antwoordde hij.

„Dat zal er niet beter op worden als jij me in de steek laat," zei ze kalm.

„Ik laat je niet in de steek. Maar dat is iets anders dan trouwen."

„Als je ooit trouwt, wil je dan kinderen?" vroeg ze.

„Lieve help, daar heb ik nooit over nagedacht."

„Je zou vast een goede vader zijn," zei ze peinzend.

„Wie weet," zei hij schouderophalend en hoopte in stilte dat ze zou verdwijnen. Hij voelde zich niet prettig bij haar.

Het vreemde was dat hij Joanna daarna ook niet vaak meer terugzag. Soms even in de vertrekhal van het vliegveld. Maar het leek of ze hem sindsdien ontliep. Hoewel het hem niet lekker zat deed hij toch geen moeite om haar te spreken te krijgen. Hij hoopte dat het drinken een tijdelijk verschijnsel was geweest.

Er ging een jaar voorbij waarin hij haar nauwelijks zag. En toen, op een heldere morgen, hij was in zijn cottage bezig met het plaatsen van nieuwe kozijnen, verscheen ze ineens. Hij stond verbaasd te kijken hoe ze rustig en weloverwogen zijn richting uitkwam. Het meest vreemde was dat ze een kind op de arm droeg. Een baby van ongeveer een half jaar. Philip staarde alleen maar. Hij had het vreemde gevoel dat er iets onheilspellends van Joanna uitging.

De baby keek met ernstige donkere ogen terug. „Dat kind," begon hij, zonder haar te groeten.

„Is van mij," antwoordde ze kalm. Dit kwam hem volkomen ongeloofwaardig voor. Hoe kon Joanna ineens een kind hebben. Maar hij had haar ruim een jaar niet gezien. In zo'n lange tijd kon er van alles gebeuren. „Ben je getrouwd?" vroeg hij. Ze schudde het hoofd. „Ik dacht dat jij met mij zou willen trouwen."

„Joanna, daar hebben wij het eerder over gehad."

„Ik heb dit kind gekregen omdat ik hoopte dat je van gedachten zou veranderen." Opnieuw kwam het bij Philip op: ze is niet helemaal normaal. Ze heeft iets dwangmatigs. Misschien had ze als kind te vaak haar zin gekregen. En het ongeluk zou er zeker geen goed aan hebben gedaan.

„Wat is er mis met de vader van het kind?" vroeg hij.

Ze haalde de schouders op. „Hij is vertrokken naar Somalië, daar kwam hij vandaan."

Philip keek naar het mooie kind met de getinte huid en het gitzwarte haar. „Het is een meisje, ze heet Emma," zei Joanna.

„Ik blijf nog enkele maanden tot een half jaar werken. Dan loopt mijn contract af. Dan ga ik voor haar zorgen. Ik heb nu een hulp in huis, zij zorgt heel goed voor haar. Maar ik wil het toch liever zelf doen. Ik blijf natuurlijk niet alleen. Het kind moet een vader hebben."

„Er komt nog wel eens iemand op je pad," zei Philip. „Je bent pas eenentwintig."

„Ik had jou in mijn gedachten. Dat geef ik zomaar niet op."

Hierop draaide zij zich om en liep weg.

Philip keek haar even na. Lange tijd had hij het gevoel gehad dat hij haar in bescherming moest nemen. Maar nu kreeg hij ineens de belachelijke gedachte dat hij zichzelf tegen haar moest beschermen.

Michael van Kempen werkte bij de douane op Schiphol. Hij vond het werk boeiend, maar soms greep het hem aan. De vele asielzoekers die vol hoop naar Nederland kwamen, werden opgevangen en soms na enkele dagen alweer teruggestuurd. Hij was ook vaak bij de eerste verhoren aanwezig omdat hij vloeiend Frans en Engels sprak. Maar de Somalische vrouw, die volkomen overstuur was, daarmee wist hij niets te beginnen.
Ze praatte voortdurend in haar eigen taal, huilde en schreeuwde soms. Een arts die haar onderzocht zei dat ze mogelijk onder invloed was van medicijnen. Ze verbleef enkele dagen in het uitzendcentrum op de luchthaven maar werd er niet rustiger op. Uiteindelijk vonden ze iemand die min of meer haar taal sprak. Hoewel deze tolk ook niet alles begreep omdat de vrouw waarschijnlijk een dialect sprak.
„Ze heeft het erover dat ze haar kind mist," zei de tolk.
„Heeft ze haar kind achtergelaten?" vroeg Michael.
„Ik heb de indruk van wel. Maar ze zegt ook dat haar man het kind niet wilde, omdat het niet van hem is."
„Maar hoe kan ze het kind dan bij hem achterlaten? Het zou niet de eerste keer zijn dat een kind wordt omgebracht, alleen omdat de vader onbekend is."
„Ze heeft het niet achtergelaten. Ze is het kwijtgeraakt."
Michael keek naar de mooie donkere vrouw die nu stille tranen huilde. Hij had diep medelijden met haar maar wist evenmin als de anderen wat hij doen moest. Daarbij, de vrouw moest terug, ze had geen geldige papieren. Ook kwijtgeraakt. Het was een vreemd verhaal. Uiteindelijk werd de vrouw teruggestuurd naar het land van herkomst. Het voorval bleef Michael nog lang dwars zitten. Mede daardoor vroeg hij overplaatsing aan naar de afdeling drugscontrole. Toen er een plaats vrijkwam op Heathrow, solliciteerde hij en kreeg de baan.

Michael van Kempen ontmoette Joanna Hoover voor het eerst toen zij nog stewardess was op de lijn Londen-Amsterdam. Michael die een soort ouderwetse ridderlijkheid bezat, werd getroffen door de hulpeloosheid die Joanna uitstraalde. Pas later kwam hij erachter dat er onder dat frêle wat onzekere uiterlijk een ijzeren wil verborgen zat. Michael werkte in die tijd al op Heathrow en hij was er al snel achter wanneer hij Joanna kon zien. Haar verlegen glimlach deed al zijn beschermersinstincten opflakkeren. Dus maakte hij enkele keren een afspraak met haar. Ze vertelde hem over haar dochter van anderhalf jaar en dat de vader haar in de steek had gelaten nog voor het kind was geboren. Hij hoorde ook dat het kind onder de hoede was van een kindermeisje, maar dat Joanna wilde stoppen met werken. Hij begreep dat ze van haar ouders een landhuis in Cornwall had geërfd en dat ze daar voorgoed wilde gaan wonen. Michael bezocht haar thuis en werd niet alleen verliefd op het huis, maar ook op Joanna. Haar dochter Emma bleek een mooi donker kindje, en zonder dat het hem verteld werd begreep Michael dat de vader een buitenlander was. Joanna vertelde hem echter verder niets over haar eerdere relatie en Michael vroeg er niet naar. Er kwam een avond waarop ze bij Joanna thuis beiden teveel dronken. Michael had trouwens al eerder gemerkt dat Joanna heel gemakkelijk naar de fles greep. Toen hij er voorzichtig een opmerking over maakte, antwoordde Joanna, dat dit was begonnen toen haar beiden ouders waren verongelukt en zijzelf daarbij zwaar gewond raakte. Ze vertelde hem echter nooit iets over de aard van haar verwondingen. Ze stond ineens alleen op de wereld en had niemand behalve Philip Harris.

Hij was een neef van haar en had haar opgevangen na de dood van haar ouders en dat deed hij in feite nog steeds als ze het moeilijk had. Michael leerde Philip kennen en de beide mannen mochten elkaar. Ook omdat ze, zeker in het begin, op één lijn zaten wat Joanna betrof. Ze moest worden beschermd, daar waren ze het over eens. Joanna leek nauwelijks geschikt om zelfstandig in het leven te staan

Philip en Michael raakten bevriend. Er kwam een moment

waarop Michael sterk begon te twijfelen of hij wel van Joanna hield, of hij wel met haar verder moest gaan. Joanna beweerde echter dat ze zwanger was en Michael was te integer om Joanna in de steek te laten.

Joanna drong er sterk op aan dat ze spoedig zouden trouwen en dat gebeurde ook. Toen na enkele weken bleek dat er geen sprake was van een zwangerschap, voelde Michael zich flink voor de gek gehouden. En hoewel Joanna beweerde dat ze er echt van overtuigd was geweest in verwachting te zijn, geloofde hij haar niet. Hij had nu spijt van zijn overhaaste huwelijk, maar wilde toch proberen er iets van te maken.

Joanna zegde haar baan op om thuis te zijn en voor Emma te zorgen. Michael had daar geen problemen mee, alleen gingen die zorgen wel erg ver. Ze verloor het kind geen moment uit het oog en Emma kwam nauwelijks buiten. Ze wilde ook niet dat het kind Nederlands leerde, waar ze regelmatig woorden over hadden. „Het is mijn taal. Misschien ga ik ooit terug," zei Michael boos.

„Dan ga ik niet mee," was het kalme antwoord. Daar zal ik niet van wakker liggen, dacht Michael.

Hij begon zich steeds vaker af te vragen hoe hij zo in de val had kunnen lopen. Dat Joanna niet van hem hield was hem inmiddels ook duidelijk. Maar als hij terloops een opmerking maakte over een scheiding raakte ze compleet over haar toeren. Ze zei dan dat ze niet zonder hem kon, dat ze zonder hem verloren was. Wel kreeg hij op zo'n avond in elk geval voor elkaar dat ze een advertentie zouden plaatsen, want Michael wilde iemand aannemen die Emma Nederlands kon leren. En daarbij tegelijk gezelschap zou zijn voor Joanna. Ze was teveel alleen, dacht Michael. Hij werkte op onregelmatige tijden. Misschien kon iemand van haar leeftijd die in huis woonde een vriendin voor haar worden. En ooit zou hij uit dit huwelijk ontsnappen. Maar niet zolang Joanna zo labiel was. Dat kon hij Emma niet aandoen. Ze was dan wel niet zijn dochter, maar hij was dol op haar. En hij was een stabiele factor in het leven van het kind, dat tamelijk eenzaam opgroeide omdat haar moeder weigerde haar naar een crèche te brengen. In dat opzicht zou het ook voor haar goed zijn als er iemand anders in huis kwam. Voor Joanna van gedachten kon veranderen, liet Michael een advertentie plaatsen in enkele grote Nederlandse dagbladen.

HOOFDSTUK 2

Nadat Marit Steinz de laatste klant naar tevredenheid had geholpen, sloot ze de deur zorgvuldig. „Kom je even Marit," klonk het achter haar. Haar baas maakte een hoofdbeweging naar zijn kantoor. Marit pakte haar tas en volgde hem, ging op zijn handgebaar tegenover hem zitten.

„Het gaat niet zo goed, vind je wel?" klonk het tot haar verbazing.

Ze fronste. „Hoe bedoel je, Dennis?"

„Je moet toch ook hebben gemerkt dat we veel minder boekingen hebben gekregen dan vorig jaar."

„Ik hoorde kortgeleden dat het bij alle reisbureaus terugloopt. De mensen zijn voorzichtig en wachten soms lang met boeken. Het kan nog best wat aantrekken," zei ze luchtig. Ze wist dat Dennis gevoelig was voor haar mening. Haar baas begon nu een verhandeling over de teruglopende economie en Marits gedachten dwaalden af. Het was niet voor het eerst dat Dennis een dergelijke toespraak hield.

„We kunnen weinig meer doen dan afwachten," mompelde ze.

„Met afwachten komt er geen geld binnen."

Marit keek tersluiks op haar horloge. Ze had een afspraak met haar vriendin, die nu waarschijnlijk zat te wachten in het koffiehuisje in de buurt.

„Dus misschien is het verstandig als je naar een andere baan uitkijkt."

Wat zei hij? Marit keek hem met grote ogen ongelovig aan.

„Luister je wel?" vroeg de ander ongeduldig.

„Ja. Ik kan mijn oren niet geloven. Ik werk hier al zes jaar."

„Ja en tot volle tevredenheid moet ik toegeven. Maar je bent ook duur."

„Ah… Je hebt een ander op het oog. Een jong meisje natuurlijk."

„Ze is inderdaad net achttien. En haar beginsalaris scheelt de helft met het jouwe. Heus, ik zou liever hebben dat het anders was. Zo'n jong kind moet nog helemaal worden ingewerkt. Maar ik moet ook aan mijn portemonnee denken."

„Je kunt me niet zomaar ontslaan," zei ze verontwaardigd.
„Maar wel als ik kan aantonen dat ik je niet meer kan betalen."
„Wanneer wil je mijn ontslag laten ingaan?" vroeg Marit, ineens vastbesloten niet te gaan smeken.
„Per 1 april, dat is over drie weken. Je kunt dan die ander nog wat wegwijs maken."
„En als ik dat weiger?"
„Ik ga ervan uit dat je goede referenties wil," zei hij koel.
Marit stond op. „Ik neem aan dat je klaar bent."
„Ja. Voor het moment wel. Nogmaals Marit, ik vind het heel vervelend."
„Wanneer komt die ander?" vroeg ze.
„Morgen."
„Nou, je laat er geen gras over groeien." Zonder te groeten verliet ze het vertrek. Ze was kwaad. Had hij hier niet eerder mee kunnen komen? Dan hadden ze eventueel nog iets kunnen doen, eventueel via een reclamecampagne. Nu werd ze van het ene op het andere moment afgedankt. Ze voelde zich ineens oud met haar zesentwintig jaar. En wat nu? Ander werk zoeken. Op de meeste reisbureaus zou wel een personeelsstop zijn. Ander werk had ze nooit gedaan. Ze was regelrecht van de opleiding voor toerisme hierheen gekomen.
Wat zou Jasmin hiervan zeggen? Zij vertrok binnenkort naar Engeland. Dus haar raakte ze min of meer kwijt. En haar moeder zou zeer verontwaardigd reageren, overtuigd als ze was van haar dochters kwaliteiten. Maar daar schoot ze weinig mee op. Het zat haar de laatste tijd bepaald niet mee. Haar relatie met Tony, die drie jaar had geduurd, was enkele maanden terug verbroken. Haar beste vriendin ging naar het buitenland.
Eenmaal buiten trok ze onbewust haar schouders naar achteren. Ze wilde zich niet zielig voelen. Ze vond heus wel ander werk. Gelukkig had ze wat gespaard, ze zou zich best een tijdje kunnen redden.
Het koffiehuis was een klein pand op de hoek van een smalle straat. Naast wel vijfentwintig soorten koffie en thee, hadden ze bijna evenzoveel variëteiten in gebak. Jasmin was er

al. Marit hing haar jas op en ging naar haar toe. „Ik ben laat,"
was ze haar vriendin voor. „Ik vertel je straks de reden."
Ze bestelden beiden een Wiener melange en een mokkapunt.
„Zo, dit is in feite ons galgenmaal," zei Marit. Ze zou Jasmin
nog wel zien, maar er zou geen tijd meer zijn om ergens uitgebreid iets te gaan drinken voor ze definitief vertrok.
Ze keek naar haar vriendin, wiens wilde bos roodbruine krullen haar gezicht iets olijks gaf. Zelf had Jasmin een hekel aan
die bos haar waar ze niets over te zeggen had, zoals ze soms
mopperde. Het is een beetje zoals haar karakter, zei Marits
moeder soms. Wild en ongetemd. En daarbij paste ook het
avontuur waar ze nu aan begon. Wat wist ze tenslotte van de
baan en van de mensen waar ze terecht zou komen. Ineens
viel het Marit op dat haar vriendin tegen haar gewoonte in
erg stil was. „Pieker je erover dat we elkaar niet meer zullen
zien? Dat gaat niet op, ik kom je in elk geval opzoeken," zei
ze.
„Ik zit met een probleem," zei haar vriendin, bedachtzaam in
haar koffie roerend.
„O ja? Laat eens horen."
„Ik heb je twee weken niet gesproken. In die twee weken is
er een en ander gebeurd."
„Niets ernstigs, hoop ik."
„Dat niet. Maar het heeft wel consequenties."
Afwachtend keek Marit haar aan. Dit moest wel serieus zijn.
Jasmin zag alles meestal van de luchtige kant. Iets waar zij-
zelf nog wel iets van kon leren.
„Ik heb een man ontmoet."
Marit schoot in de lach. Dit was werkelijk niet voor het eerst.
Jasmins gezicht bleef echter ernstig. „Ik ben verliefd, Marit.
Ik wil met deze man verder. Hij is zo… ik kan alleen maar aan
hem denken."
Jasmins ogen staarden dromerig uit het raam.
„Laat je koffie niet koud worden," zei Marit automatisch.
„Ik ga dus niet naar Engeland," flapte Jasmin het hoge woord
er uit. „En ik vind dat ik dat eigenlijk niet kan maken. Alles is
geregeld. Ze rekenen daar op mij. Je weet dat de man een
Nederlander is. Ze hebben daar hulp nodig. Ik heb het idee

dat ze daar echt op mij zitten te wachten. En nu laat ik hen in de steek. Ze wonen op een landgoed en om dat te onderhouden verhuren ze onder andere enkele vakantiehuisjes die daar in de buurt staan. Het schijnt dat Michaels vrouw het allemaal niet aan kan. Ze heeft een kind van drie jaar. Hij was zo blij dat ik kwam. Maar ik kan nu niet gaan, Marit. Echt niet."

Ze keken elkaar aan en toen Marit de blik in Jasmins ogen zag begon ze haar hoofd te schudden. „Nee Jasmin, dat…" Ze wilde zeggen, ik heb een baan die me bevalt, maar ze realiseerde zich dat ze die baan een uur geleden was kwijtgeraakt.

Jasmin liet haar ogen over Marits gezicht glijden alsof ze haar voor het eerst zag. Kort donker haar, bijzondere lichtbruine ogen. Als ze lachte ging de zon schijnen had ze iemand wel eens horen zeggen.

„Jij zou er prima voor geschikt zijn," zei ze langzaam.

„Hou op, Jasmin. Denk je dat ze er daar genoegen mee nemen als er plotseling iemand anders komt opdagen."

„Dat hoeven ze niet eens te weten. Ik heb geen foto opgestuurd. Kom Marit, je bent bij dat reisbureau vast wel uitgekeken." Marit zei niet dat haar baan binnenkort verleden tijd zou zijn. Dan gingen bij Jasmin inderdaad alle remmen los.

„Je wilt er toch wel over denken?" pleitte Jasmin. „Ik zal vanavond naar je toe komen met alle gegevens."

„Je kunt maar niet mijn leven regelen," zei Marit plotseling geërgerd.

„Ik wil je alleen een tip geven om eens iets heel anders te gaan doen."

Marit zei niets. Ze merkte dat ze er serieus over begon na te denken. Had ze zich even geleden niet afgevraagd wat ze nu moest gaan doen? En hier werd haar op een presenteerblaadje een baan aangeboden! Ze ving Jasmins verwachtingsvolle blik op. „Het is te gek voor woorden," mompelde ze.

„Een mens moet iets durven," zei Jasmin luchtig.

„En wat ga jij nu doen? Ik neem aan dat je toch niet thuis gaat zitten wachten op je nieuwe liefde?"

„Ik blijf gewoon mijn werk doen in de boetiek. En ik blijf stukjes schrijven voor de krant. Dat laatste zou ik in Engeland ook hebben gedaan. Ik had al afgesproken om de week een column door te mailen. In de boetiek zijn ze nog geen procedure gestart voor een opvolgster."

Jasmin nam eindelijk haar laatste slokje koffie. „Weet je, Marit het is echt een uitdaging voor je. Het is goed voor je als je eens iets heel anders onderneemt."

„Ga je mij vertellen dat je dit speciaal voor mij zo hebt geregeld?"

Jasmin lachte even. „Pas toen ik je daarnet binnen zag komen dacht ik: waarom zij niet? Je spreekt uitstekend Engels. Je ziet er leuk uit."

„Dank je," zei Marit droog. „Was dat ook een van de voorwaarden?"

„Ik dacht het niet. Ik kom vanavond met alle gegevens, oké?"

Marit bromde wat. Het kon natuurlijk geen kwaad als ze zich goed liet voorlichten. Daarmee was er nog niets beslist.

„Over een paar uur ben ik bij je," zei Jasmin toen ze buiten stonden. „Ik heb zelfs een foto van het huis."

„Het lijkt of je bent aangesteld om reclame te maken," zei Marit. Jasmin grinnikte, pakte haar fiets en verdween met een armzwaai.

Marit liep de andere kant uit. Om wat beweging te krijgen liep ze meestal het kwartier van haar flat naar haar werk. Alleen bij slecht weer maakte ze gebruik van haar Golf van tien jaar oud. Ze keek nog even om maar Jasmin was verdwenen. Ze leek er al helemaal van uit te gaan dat zij, Marit, dat baantje in Engeland zou aannemen. Het was dat ze nu net was ontslagen anders zou ze er niet eens over denken.

„Wil je tot je pensioen reizen verkopen?" had Jasmin wel eens gevraagd.

Ze was nu eenmaal niet zo ondernemend. Ze had in het begin ook versteld gestaan toen Jasmin haar vertelde over het baantje in Engeland. Maar eerlijk gezegd was er ook een gevoel van jaloezie dat haar vriendin dat allemaal aandurfde. Eenmaal thuis opende ze een blik soep en warmde een stukje overgebleven pizza in de oven. Ze had geen zin om veel werk te doen. Ze wilde nog even nadenken voor Jasmin kwam. Ze probeerde zich te herinneren wat haar vriendin allemaal over dit baantje had verteld, maar er wilde haar weinig te binnen schieten. Toen Jasmin kwam had ze koffie gezet.

„Zo, ik heb alle informatie bij me. Waar zal ik beginnen?

„Bij het begin. Ik weet nog dat je op die advertentie schreef."

„Ja. Die heb ik hier. 'Gezin in Engeland zoekt Nederlandse au pair voor gezelschap en Nederlandse les. Een ruime kamer en badkamer staan ter beschikking. Voor nadere informatie: Michael van Kempen. Mevagissey, Cornwall'."

„Erg uitgebreid staat het er niet, meende Marit.

„Daarom heb ik meer informatie gevraagd en gekregen. Die Michael is een Nederlander en getrouwd met een Engelse. Ze wonen in een soort landhuis, daar heb ik een foto van. Daar ben je meteen verliefd op, dat weet ik zeker. Ik heb begrepen dat hij op Heathrow werkt en veel van huis is. Hij is iets bij de douane. Zijn vrouw Joanna is veel alleen. Ze hebben een kleuter van drie jaar. Ik heb niet de indruk dat het een zware baan is. Het gaat ook om gezelschap voor zijn vrouw. Wat vind je van het huis?"

Marit bestudeerde de foto. Het huis was groot en breed. Rozen bloeiden tegen de gevel. De woning stond op een gazon dat geleidelijk afliep naar een vijver. „Een beetje gevaarlijk voor een klein kind," mompelde Marit.

„Ik heb de indruk dat het kind erg beschermd wordt opgevoed."

„Tja…" Marit keek haar vriendin aan.

„Je voelt er wel voor, waar of niet?"

„Er zijn natuurlijk allerlei obstakels," zei Marit, zonder rechtstreeks antwoord te geven.

„Uiteraard," reageerde Jasmin braaf.

„Om te beginnen: Jasmin van Uden zou komen en dan verschijnt ineens Marit Steinz. Dat kan natuurlijk niet. Je moet je dus wel afmelden en mij aanmelden."

Jasmin fronste. „Ik weet het niet. Hij leek mij nogal betrouwbaar. Als hij gaat denken dat hij op mij niet kan rekenen, haakt hij misschien alsnog af. Je kunt de zaak toch uitleggen als je daar aankomt. Hij kent mij immers niet. Trouwens, bij nader inzien ben jij veel geschikter."

„Je kunt een en ander heel mooi verpakken," zei Marit. Ze wilde niet zeggen dat het huis gelijk haar hart had gestolen. „Vind je het vervelend om je baan op te zeggen?" vroeg Jasmin toen.

„Gezien het feit dat ik vandaag te horen kreeg dat ik over een maand kan vertrekken, valt dat wel mee," zei Marit droog.

„Wat? En dat vertel je nu pas. Dat komt toch prachtig uit? Kun je Dennis gelijk duidelijk maken dat je hem niet nodig hebt." Dat laatste leek Marit ook wel een aantrekkelijke gedachte.

„Ik denk dat ik het maar ga proberen," zei ze peinzend. „Ik zit er alleen mee dat we eigenlijk van persoon wisselen. Ik bedoel, ze noemen mij daar waarschijnlijk Jasmin van Uden, als ze dat al kunnen uitspreken."

„Hij is Nederlander," herinnerde Jasmin haar. Als je daar een paar dagen bent en het bevalt jou en hen, dan kun je de zaak uitleggen. Wedden dat ze dan niet eens meer willen dat je weggaat?"

„Als ze mij nodig hebben en ze roepen Jasmin, dan zal ik mij heel ongemakkelijk voelen."

„In de buurt blijven, dan hoeven ze je niet te roepen," zei Jasmin luchtig.

Marit gaf geen antwoord. Jasmin leek alles wel op te vatten als een spel.

„Vertel mij nu maar eens over die vriend van je, die nieuwe liefde," vroeg ze.

Onmiddellijk verscheen er een blik in Jasmins ogen, waardoor Marit dacht, ze heeft het nu wel heel erg te pakken.

„Hij is advocaat. Hij is knap en charmant. Hij is lang en sportief. Hij zegt dat hij verliefd op mij is. Er is echter een probleempje. Hij is getrouwd."

„O Jasmin. Ik dacht al, zoveel volmaaktheid kan niet echt zijn. We hebben altijd afgesproken dat een getrouwde man taboe is.

„Hij is heel ongelukkig in zijn huwelijk."

„Natuurlijk. Dat zijn ze allemaal. Heeft hij ook kinderen?"

„Een zoon. Wacht maar tot jij ook verliefd wordt."

„Ik geloof dat ik mij eerst op de hoogte zou stellen van zijn burgerlijke staat," zei Marit koel. Ik weet dat ik er niets mee te maken heb, Jasmin. Maar je bent mijn beste vriendin. Dit kan alleen maar problemen geven."

„Zo zie ik het niet." Het klonk ineens wat afstandelijk. Jasmin was boos en misschien wel terecht. Het waren haar zaken niet, ze had zich er niet mee moeten bemoeien, dacht Marit schuldbewust. „Is er nog iets wat ik moet weten over Engeland?" begon ze over iets anders.

„De vertrekdatum heb ik al doorgegeven, namelijk 23 april. Ik hoop niet dat dit voor jou een bezwaar is in verband met je huidige werk."

„Daar heb ik geen rekening mee te houden. De nieuwe moet in drie weken wel zijn ingewerkt. Je moet het tenslotte in de praktijk leren, zoals zoveel dingen."

Jasmin keek haar vriendin even aan. Hiermee bedoelde Marit ook dat de praktijk zou leren hoe het was een relatie met een getrouwde man te hebben. Marit stelde strenge eisen aan zichzelf. Maar het was niet juist die ook aan anderen op te leggen.

Jasmin vertrok met de belofte dat ze eventuele post die ze nog kreeg aan Marit zou doorgeven. Marit bleef een beetje onbevredigd achter. Jasmin was ruimschoots volwassen, ze had duidelijk laten merken dat ze niet op een lesje van haar vriendin zat te wachten. Aan de andere kant, ze kenden elkaar zo goed, als ze het ergens niet over eens waren moest dat ook gezegd kunnen worden. Maar dit lag natuurlijk wel gevoeliger dan dat je bijvoorbeeld eerlijk je mening gaf over een bepaald kledingstuk. De volgende week zou ze er op terug komen besloot Marit en dan zou ze min of meer haar excuses aanbieden.

Jasmin was inderdaad geërgerd. Waar bemoeide Marit zich mee? Zijzelf had nog nooit zo'n hevige verliefdheid meegemaakt, dat wist ze wel zeker. In zekere zin had Marit natuurlijk gelijk. Het was om problemen vragen, een getrouwde man met een kind. Maar het was haar overkomen en ze had in het begin niet geweten dat hij getrouwd was. Hij had echter snel genoeg open kaart gespeeld en toen had ze nog terug gekund. Nick had gezegd dat zijn huwelijk weinig meer voorstelde, maar hij had geen enkele keer laten doorschemeren dat hij een eind aan dat huwelijk wilde maken.

Nu had Marit haar weer met haar neus op de feiten gedrukt. Maar haar vriendin hoefde het er niet mee eens te zijn, zij ging toch naar Engeland.

Even later zette ze haar fiets in de bergruimte onder de flat waar ze woonde en nam de post mee uit de brievenbus. Ook een brief uit Engeland. Eenmaal in haar kamer aarzelde ze om deze open te maken. Ze kon de brief ook zonder meer aan Marit doorgeven. Ze wilde echter toch wel weten wat er in stond.

Als ze Marit deze brief inderdaad ongeopend had doorgegeven, zou het leven van haar vriendin heel anders zijn verlopen. Evenals dat van haarzelf trouwens. Maar dat kon Jasmin niet weten.

„Dear Jasmin. Ik vind het moeilijk je dit te schrijven, maar het zal toch moeten. Ik hoop niet dat jij je baan al hebt opgezegd, want mijn vrouw is het er niet mee eens dat je komt.

Ik schreef je al dat Joanna soms erg labiel is. Daarom moet er ook iemand komen om voor haar te zorgen. Maar zij heeft zich plotseling in haar hoofd gezet dat het een Engelse moet zijn. Ik krijg het niet uit haar hoofd gepraat. Ik vind het vervelend, want ik was echt van mening dat ik in jou een goede, betrouwbare hulp had gevonden. Maar aangezien ik hier de vrede wil bewaren kan het helaas niet doorgaan. Als je kosten hebt gemaakt, laat het mij dan weten. Sorry voor het ongemak. Met hartelijke groeten, Michael van Kempen."

Jasmin was in een stoel neergezakt en las de brief voor de tweede keer. Dat veranderde echter niets aan de zaak. „Mooie boel," mompelde ze. Net nu ze Marit over de streep had getrokken.

Moest ze haar nu gelijk opbellen, of zou ze niets zeggen en haar gewoon laten gaan? Ze zouden haar toch vast niet direct terugsturen. Marit had de brief niet ontvangen en dat was de waarheid als zijzelf deze achterhield. Maar het was natuurlijk niet eerlijk. Hoewel Marit in Jasmins ogen hard aan iets anders toe was. En haar vriendin had geen werk meer. Het was haar voorgekomen dat Marit er steeds meer zin in kreeg. Dit zou natuurlijk een teleurstelling voor haar zijn. Het was echt niet zo dat ze haar vriendin weg wilde hebben, omdat ze er niet tegen kon als ze kritiek had op haar verhouding met Nick. Dat zou kinderachtig zijn. Ze gunde haar echter de kans om iets heel anders te gaan doen. Het was een uitdaging.

Zou ze haar als vriendin verliezen als Marit hier achter kwam? Dat wilde ze namelijk niet. Hun vriendschap kon wel iets hebben. Toch twijfelde Jasmin. Zijzelf was na deze brief toch gegaan, al was het alleen maar om te kijken hoe alles daar was. Zij zou het een uitdaging vinden om die vrouw om te praten. Toen de telefoon ging schrok ze. Stel dat Michael belde, bijvoorbeeld met de vraag of ze zijn brief had ontvangen. Het was echter Marit.

„Sorry Jasmin, het zit me een beetje dwars dat ik kritiek heb op je verhouding met Nick. Ik weet dat ik af en toe op een schooljuf lijk. Mar wees gerust, ik ga naar Engeland.”

„Je hebt dus echt besloten?” vroeg Jasmin aarzelend.

„Ja. Het begint me steeds meer aan te trekken. Of jij moet toch willen gaan?”

„Nee, nee, natuurlijk niet. Wat Nick betreft, ik kan niet veel kritiek hebben vrees ik. Ik hoop dat je hem nog een keer ontmoet voor je vertrekt.”

„Dat kunnen we vast wel regelen. Laten we nog een keer gaan koffiedrinken,” stelde Marit voor.

„Prima, ik zal het hem voorstellen. Je hoort er van. Nee, boos ben ik niet. Een beetje overgevoelig denk ik.”

En dat was dat, dacht Jasmin toen ze de hoorn neerlegde. Marit wilde duidelijk heel graag gaan. Nu, dan had ze deze brief dus niet ontvangen. En dan maar zien wat er van kwam.

„Naar Engeland? En dat zo opeens. Nou, ik vind het nogal een onderneming.” Marits moeder was het duidelijk niet met de plannen van haar dochter eens, maar wilde dat niet rechtstreeks zeggen.

„Ik krijg er steeds meer zin in. Tenslotte is het maar de vraag of ik spoedig ander werk zal vinden. En ik wil niet naar de bijstand."

„Het geld van je vader…" begon Inge.

„Natuurlijk mam, dat heb ik nog. Dat wil ik nog even zo houden. Tenslotte weet je nooit of er nog eens een huwelijk in het verschiet ligt."

„Natuurlijk trouw je een keer," zei Inge beslist.

Marit ging er niet op in. Er waren echter weinig feiten die er op wezen dat het ooit zover zou komen. Met Tony was het zelfs nooit ter sprake gekomen, Het geld dat ze van haar vader had geërfd, hij was acht jaar geleden omgekomen bij een ongeluk, wilde ze toch niet gebruiken voor haar huishuur en de wekelijkse boodschappen in de supermarkt.

„Engeland is niet het eind van de wereld," zei ze.

„Je moet wel over zee," bromde Inge.

Haar dochter schoot in de lach. „Ja, maar dat hoeft niet in een roeibootje, mam." Inge lachte nu ook en even later liet Marit haar de foto's van het huis zien.

„Nou, dat moet wel een rijke familie zijn. Haar man is een Nederlander, zeg je? Dan is hij vast om haar geld getrouwd."

„Misschien is hij zelf rijk," opperde Marit.

„Dat huis is natuurlijk van haar," fantaseerde haar moeder er lustig op los. Ze is wat labiel, zei je. Misschien spookt het er wel. Dat komt vaker voor in Engelse landhuizen."

„Nou ik dacht meer in oude kastelen," zei Marit. „Wil je mij bang maken, mam?"

„Nee, dat zou kinderachtig zijn. Het zou toch geen zin hebben. Maar ik vind wel dat Jasmin je snel heeft omgepraat."

„Ze kwam op het juiste moment. Ik wist net dat ik zonder werk zou komen te zitten. Want zelfs als ik stappen onderneem, mijn ontslag aanvecht en zou winnen, dan wil ik daar toch niet meer werken. Hij heeft me te gemakkelijk gedumpt."

„De sfeer is verziekt," begreep haar moeder.

In de weken die volgden had Marit het erg druk. Ten eerste was het inspannend om de hele dag alles te moeten uitleggen aan haar opvolgster en haar voor fouten te behoeden. Stella was gelukkig vlug van begrip, maar wel een beetje eigenwijs. Dennis zei dat het prima ging. Hij was nogal gecharmeerd van het blonde meisje.

In die weken maakte ze ook alles in orde voor haar reis naar Engeland. Ze besloot alleen haar zomergarderobe mee te nemen. Ze zou toch wel eens naar huis gaan, veronderstelde ze. Toen Dennis vroeg of ze al naar ander werk had uitgekeken, antwoordde ze koeltjes dat ze per 23 april een andere baan had, en enkele dagen eerder wilde vertrekken.

„Dat heb je vlug voor elkaar! Niemand heeft nog om je referenties gevraagd," zei hij achterdochtig.

„Die wil ik overigens wel van je hebben. Ik heb een baan in Engeland," zei ze toch maar.

„Hè? Als wat?"

„Als escortmeisje," zei ze hem de rug toedraaiend.

„Nou, dan hoef ik je geen referenties te geven. Van je kwaliteiten op dat terrein ben ik niet op de hoogte," zei hij ad rem. Ze reageerde niet. Stom om zoiets te zeggen.

Ze maakte nog een keer een afspraak met Jasmin. Ze ontmoetten elkaar in het koffiehuis en haar vriendin had Nick meegebracht. Hij was inderdaad knap en charmant, moest Marit toegeven. Hij was wel zo'n tien jaar ouder dan Jasmin en keek soms met de vertedering van een vader naar zijn vrolijke vriendin. Alsof hij haar lief maar een beetje ondeugend vond, dacht Marit.

Ze moest echter ophouden zo kritisch te zijn. Jasmin leek heel gelukkig en daar ging het maar om. Zij had ook geen enkel recht om te vragen hoe hij de toekomst voor zich zag. Wilde hij scheiden? Hij droeg nog wel zijn trouwring was haar opgevallen.

„Dus jij neemt Jasmins plaats in," zei Nick toen Engeland ter sprake kwam. „Ik hoop niet dat je denkt dat ik haar heb tegengehouden. Ze wilde zelf niet meer gaan."

„Maar jij vindt het fijn dat ik blijf?" zei Jasmin met een vraag in haar stem.

„O zeker. Maar ik had je daar wel opgezocht."

Dat was veiliger geweest dan op deze manier, dacht Marit. O, ze moest niet zo wantrouwend zijn. Waarom dacht ze nu dat

Nick zijn leven van nu wilde voortzetten, met Jasmin als speeltje ernaast? Ze was toch zeker niet jaloers? Nee, ze zou deze man niet willen hebben. Misschien was ze een beetje jaloers op het geluk dat van Jasmin afstraalde.

„Ik kom nog langs om echt afscheid te nemen," zei Jasmin bij het weggaan. En om te vragen wat ik van hem vind, dacht Marit. Een van de laatste dagen voor haar vertrek kwam Jasmin langs. Marit was bezig alles in haar koffers te pakken.

„Heb je niets meer uit Engeland gehoord?" vroeg ze Jasmin.

„Alles is toch geregeld?" antwoordde deze.

„Ze zouden kunnen laten weten wanneer ik verwacht word, of eigenlijk jij. En of iemand mij komt afhalen."

„O ja, natuurlijk." Jasmin beet op haar lip. „Ik ging met mijn eigen auto. Ik heb indertijd geschreven dat ik niet afgehaald wilde worden, omdat ik wilde wennen aan het links rijden."

Dat was in elk geval de waarheid, dacht ze zorgelijk.

„Wat nu? Zal ik bellen?" vroeg Marit.

„Dat zou ik niet doen. Je stelt je gelijk zo afhankelijk op. Ik zou met de auto gaan. Anders staat die toch ook maar doelloos in de garage."

Er zou wel niets anders opzitten, dacht Marit. Het was ook weer echt iets voor Jasmin om zonder meer aan te nemen dat ze met de auto zou gaan. Ze reed zelden. Aan de andere kant was deze vuurdoop misschien wel goed. Mogelijk ging ze autorijden nog leuk vinden.

„Ik kan je eventueel brengen," stelde Jasmin voor.

„Natuurlijk niet. En daar met z'n tweeën aankomen. Kiest u maar, meneer."

„Jij maakt er gelijk zo'n probleem van," zei Jasmin.

Marit reageerde niet. Dat was inderdaad het verschil tussen hen. Jasmin maakte nergens een probleem van. Maar ze had wel een beetje gelijk.

„Hoe vond je Nick?" kwam de vraag die Marit al had verwacht.

„Nick?" Plagend wachtte ze even. „Wel, eh, hij is wel een lekker ding."

Jasmin proestte. „Als hij dat hoorde."

Marit realiseerde zich dat Nick duidelijk ouder was dan

24

Jasmin. Misschien vond hij dit soort uitdrukkingen al vreemd. „Serieus," verzocht haar vriendin.

„Hij lijkt me een aardige vent. En ik heb gezien hoe verliefd jij op hem bent."

Ze kon zien dat haar vriendin met dat antwoord niet helemaal tevreden was.

„Ik heb hem nog niet echt leren kennen," zei ze nog. „Maar hij vond jou duidelijk om op te vreten." Voor zolang het duurt, dacht ze erachter.

„Ik zou deze laatste paar dagen nog maar enkele ritjes in de auto maken," raadde Jasmin aan.

Marit lachte. „Zo erg is het ook weer niet. En je hebt gelijk, ik zal daar ook een auto nodig hebben. Stel dat ik een boodschap moet doen. Aan het huis en de omgeving te zien wonen zij best afgelegen."

„Stel dat je uit wilt gaan."

Marit zag zichzelf nog niet naar een uitgaansgelegenheid gaan waar ze niemand kende. Ze wist wel zeker dat Jasmin daar geen punt van zou maken.

Ze namen nu serieus afscheid van elkaar. Jasmin had een pondspak drop voor haar meegebracht. „Als ze daar al iets hebben wat op drop lijkt, haalt dat het niet bij deze," zei ze.

Jasmin drong aan dat ze snel iets van zich zou laten horen. „Ik ben zo benieuwd hoe het daar is. Of je een beetje hartelijk wordt ontvangen."

„Dat mag ik hopen. Ze kijken met spanning naar me uit, beweerde je."

Jasmin knikte alleen en was even later verdwenen. Ze voelde zich toch wel een beetje schuldig. Hartelijk ontvangen, ze zouden stomverbaasd zijn. Mogelijk kwam Marit binnen enkele dagen alweer terug. En dan zou ze terecht woedend zijn. Misschien was hun jarenlange vriendschap dan wel verleden tijd. Ze moest er niet aan denken. Wat moest ze als excuus verzinnen? Dat ze haar een teleurstelling had willen besparen, omdat ze de indruk had gekregen dat Marit toch wel graag wilde gaan. Dat was ook gedeeltelijk de waarheid, maar of Marit met een dergelijk slap excuus genoegen zou nemen was zeer de vraag.

Het bespaarde haar in elk geval flink wat sjouwwerk, dacht Marit toen ze twee koffers en een weekendtas in haar auto had geladen. Het leek wel veel wat ze meenam, maar in feite ging ze daar wonen.

Ze had afscheid genomen van haar moeder die niet probeerde te laten merken dat ze het moeilijk had. „Ik laat snel iets van me horen. Mijn mobiel werkt daar ook, dus jij kunt mij ook bellen. Ik zal vaak bellen. En als je daar kunt logeren moet je snel komen."

Inge knikte. Ze wist nu al dat ze de eerste tijd bij elk telefoontje overeind zou vliegen.

HOOFDSTUK 3

In enkele uren reed Marit naar Calais. Ze zou met de *shuttle* overgaan. De reis verliep vlot en uiteindelijk was ze rond de middag in Dover. Ze kon niet lang nadenken over het linkse verkeer, als vanzelf werd ze in de stroom meegenomen. Over de autoweg, de M20 naar Londen, gaf het rijden geen enkel probleem, ze was er snel aan gewend. Het zou wel tegen de avond zijn voor ze op de plaats van bestemming was. Ze kwam echter in een file terecht vanwege wegwerkzaamheden. Ze besloot van de weg af te gaan en eerst in een restaurant een hapje te eten. Ook daar was het erg druk. Toen ze eenmaal weer op de autoweg zat was het al tegen zeven uur. Ze besloot nog anderhalf uur te rijden en dan een hotel te zoeken.

Ook dat liep echter anders. Ze kreeg nu hele stukken tweebaansweg. Enkele motels die ze probeerde, en waarvoor ze iedere keer de weg af moest, zaten vol. Ze durfde op den duur de weg niet meer af te gaan omdat ze bang was in het donker te verdwalen. Dus bleef ze maar rijden. Aan de plaatsnamen zag ze dat ze al wel in Cornwall was. Maar Mevagissey zag ze nergens. Het was ook maar een klein plaatsje en het huis lag daarbuiten, voor zover ze had begrepen. Ze had werkelijk het gevoel dat ze zomaar wat ronddoolde.

Uiteindelijk besloot ze te gaan vragen in een pub. Het zag er binnen vriendelijk maar wat ouderwets uit. Er kwam direct iemand naar haar toe met de vraag of ze iemand zocht.

Ze zag dat er alleen mannen aan de tafels en bij de bar zaten en herinnerde zich nu dat er plaatsen waren waar alleen mannen in een pub werden toegelaten. In haar beste Engels begon ze te vertellen dat ze uit Nederland kwam en op weg was naar Michael en Joanna van Kempen. De mensen luisterden vol belangstelling maar de naam leek hen niets te zeggen.

„Ze hebben een kindje van drie jaar. En hij werkt op de luchthaven," probeerde ze nog eens. Dit laatste leek enige duidelijkheid te brengen en een van de mannen begon een route op een blocnotevelletje te tekenen. „Nog ongeveer een half uur rijden," schatte hij. „De tuin is afgesloten door een ijzeren hek. Ik meen te weten dat er een bel is. Het is te hopen dat hij thuis is, want zijn vrouw zal vast niet opendoen," zei de man nog.

Ze was midden in de rimboe terecht gekomen dacht Marit toen ze weer in de auto zat. Het begon ook nog hard te regenen. Langzaam reed ze de aangegeven route. Uiteindelijk stopte ze bij een verwilderde tuin, omheind door prikkeldraad. Er was een houten hek dat knarsend heen en weer bewoog in de wind. Het pad naar het huis was te smal om er op te rijden, dus stapte ze uit. Ze kon het huis zien liggen, er brandde geen licht meer, zou ze het toch wagen aan te bellen. Wat moest ze anders? Ze kon toch moeilijk in de auto blijven zitten tot het licht werd? Trouwens, men wist toch op welke datum ze zou arriveren? Ze hadden toch op zijn minst een buitenlantaarn kunnen laten branden? Er was echter helemaal geen lichtpunt zag ze even later. En het huis was ook niet hetzelfde als op de foto. Erger, het leek een leegstaande bouwval. De voordeur was niet gesloten en even later stond ze in een donkere gang. Op goed geluk opende ze een deur. Tastte naar een lichtknopje dat er niet was. Ze hoorde iets ritselen en stond stokstijf. Misschien waren hier wel ratten. Mensen waren hier in elk geval niet. Ze liep voorzichtig verder, viel bijna toen ze tegen iets aanstootte. Het bleek een bank, het materiaal voelde zacht aan. Ze ging zitten voelde nu pas hoe vermoeid ze was. Ze was ook al vanaf die morgen zeven uur in touw. Het was nu twee uur in de nacht. Voor ze het zichzelf uit het hoofd kon praten ging ze languit liggen. Even maar. Enkele minuten later viel ze in slaap.

Een paar uur later schrok ze wakker doordat er een lichtstraal in haar ogen scheen. Ze schoot overeind en wist even niet waar ze was. „Wat heeft dit te betekenen?" klonk een boze stem.

Marit voelde zich op dat moment erg kwetsbaar. Moe en rillerig van de slaap. En zij kon de persoon niet zien maar hij haar wel en daardoor voelde ze zich ook in het nadeel.

„Is dit uw huis?" vroeg ze.

„In elk geval niet het jouwe al doe je net alsof."
Marit stond half op. „Ik moet hier ook helemaal niet zijn."
„Waar moet je dan wel zijn?"
„Ik vind het heel vervelend om tegen iemand te praten die ik niet kan zien," zei ze kortaf.
Er werd een kleine schemerlamp aangeknipt en ze zag een lange man met zwart haar en een boze blik in de donkere ogen. „En waar gaat de reis naar toe, zo midden in de nacht?"
„Ik ben verdwaald," zei ze mat. „Ik moet naar de familie van Kempen."
„Naar Michael?"
„Kent u hem? Wonen ze hier in de buurt?"
Een kilometer verder. Maar je kunt daar niet midden in de nacht aankomen. Daar komt Joanna niet overheen."
„Dan blijf ik hier wel zitten."
„O ja?" klonk het cynisch.
„Als jij het niet goedvindt dan ga ik in mijn auto."
Hij zei niets en ze hoorde de regen tegen de ramen kletteren.
„Nou goed. Ik slaap wel boven. Wil je een kop thee?"
„O ja, graag," zei ze gretig.
Hij trok de wenkbrauwen op en even later hoorde ze hem in de keuken bezig. Ze had Jasmin nu al heel wat te vertellen.
„Wat ga je bij Michael doen?" vroeg hij toen hij weer binnen-kwam.
„Eigenlijk als een soort van kinderjuf, en als gezelschap voor zijn vrouw," zei ze.
„Hm. Ik zal je morgenochtend wel even afzetten."
„Nee. Sorry, maar ik wil niet als een kind worden opgebracht. Ik vind het zelf wel."
„Ook goed. Ik ben morgen al vroeg weg. Dus als ik je niet meer zie, in de keuken ligt wel iets voor het ontbijt."
„Woon je hier?" vroeg ze nieuwsgierig.
„Nee. Maar het is wel mijn huis. Het kost alleen een fortuin om het te laten opknappen. En dat fortuin ben ik aan het ver-zamelen."
„Gaat dat gemakkelijk?"
„Niet echt. Ik moet wachten tot tante Mabel aan haar laatste reis gaat beginnen. In die tussentijd vermaak ik me hier door

af en toe iets te schilderen en de natuur in mij op te nemen. Nou, goedenacht." Hij was ineens verdwenen. Marit ging weer liggen. Als haar moeder dit wist zou ze verbijsterd zijn. Zij in een bouwval, samen met een man die ze nooit eerder had gezien. Hij kon haar midden in de nacht wel overvallen. Deze gedachte voorkwam echter niet dat ze toch in slaap viel. De volgende morgen regende het nog steeds hard. Ze zag dat haar weekendtas bij de bank stond, maar kon zich niet herinneren dat ze deze had meegenomen naar binnen. Dus moest de bewoner deze uit haar auto hebben gehaald. Ze had de auto niet eens op slot gedaan bedacht ze nu. Haar sleutels zaten echter in haar jaszak. Nou goed, deze man moest een vooruitziende blik hebben. In de tas zat wat ze nodig had om te douchen en schone kleren aan te trekken. Ze opende de kamerdeur en ging op zoek. Ze vond inderdaad een betegeld hokje waar een douchekop uit de muur stak. Nu maar hopen dat er ook warm water was. Het viel mee en ze was redelijk opgeknapt toen ze klaar was. In de keuken vond ze wat brood, twee eieren en tomaten.

Nadat ze had gegeten ruimde ze alles netjes op en zag opeens het briefje op de koelkast.
„Je bent erg lieflijk als je slaapt. Ik wens je een goed verblijf bij Michael en Joanna. Als er problemen zijn, in het weekend ben ik hier meestal wel te vinden. Groeten, Philip Harris."
Ze trok het briefje los en stak het bij zich. Wie weet moest ze hem nog eens aan zijn woord houden. Als er problemen zijn... Die vrouw laat zich nooit zien had iemand gisteren gezegd.
Misschien was ze wel niet helemaal normaal en had ze zich boven opgesloten. Zoals de vrouw in het boek van Bronte, Jane Eyre.
Een beetje ongeduldig ritste ze haar tas dicht en opende de voordeur. Het regende onafgebroken. De lucht zag egaal grijs, dus het zou voorlopig wel zo blijven. Ze stapte naar buiten en holde naar de auto. Ze hoopte nu maar dat ze tot aan het huis kon rijden. Als er alleen zo'n smal pad naar het huis liep zou ze opnieuw drijfnat worden.

Na tien minuten zag ze een hoge heg met in het midden een ijzeren hek dat hermetisch was gesloten. Een bel zag ze nergens. Trouwens zou er werkelijk iemand door dit weer komen om het hek te openen? Ze parkeerde de auto, deed deze keer alles op slot en stapte de regen in, rammelde aan het hek. Het was afgesloten met een hangslot en ze zag geen enkele mogelijkheid om binnen te komen. De heg was te dicht om zich doorheen te wringen.

Toch zou ze iets moeten ondernemen. Zou ze over het hek heen kunnen klimmen? Ze aarzelde, bestudeerde nauwkeurig het ijzerwerk. Er waren wat dwarsspijlen, het zou kunnen lukken.

Omhoog ging redelijk gemakkelijk, maar toen ze aan de andere kant omlaag wilde klimmen, gleed haar voet van de spijl en viel ze met een plof op de grond. Echt pijn deed ze zich niet, maar ze zat wel helemaal onder de modder. Marit krabbelde overeind en keek langs zichzelf naar beneden. Ze kwam daar nu werkelijk als een half verdronken zwerfster aan. Nou en, dacht ze plotseling boos. Zou het niet normaal zijn geweest als ze contact met haar hadden opgenomen om te vragen wanneer ze ongeveer verwachtte aan te komen?

En dat ze haar dan hadden afgehaald of op zijn minst tegemoet waren gereden. Zodat ze niet de nacht had hoeven doorbrengen in een soort ruïne samen met een vreemde vent.

Ze hees haar tas op haar schouder en begon het pad af te lopen. Haar voeten sopten in haar schoenen. Slierten haar hingen voor haar gezicht. Waarschijnlijk zou men de deur voor haar neus dichtgooien.

Toen ze het huis zag liggen bleef ze even staan. Ze herkende de omgeving nu van de foto. Zou ze hier werkelijk geruime tijd gaan doorbrengen? Het was wel erg afgelegen. Mogelijk was er geen andere uitgaansgelegenheid dan de pub waar ze gisteren was binnengelopen.

Er waren echter leuke stadjes in de buurt en ze had haar auto. Ze haalde diep adem en liep op het huis toe. Er hing een ouderwetse bel naast de deur en het geklingel klonk boven het geruis van de regen uit. Het duurde even maar toen hoorde ze sloffende voetstappen naderbij komen.

De deur werd op een kier geopend. Op de drempel stond een oudere man die haar doordringend aankeek. „Wat is er?" vroeg hij tot haar verbazing.

„Je moet niet steeds terugkomen."

„Terugkomen? Ik ben hier voor het eerst," zei ze in keurig Engels.

„Oom Stanley, wie is dat?" klonk een mannenstem.

„Een heks!" riep de oude man terug.

Marit keek even hulpeloos om zich heen. Was ze in een tehuis voor geestelijk gestoorden terecht gekomen? Deze man leek haar tenminste niet helemaal helder. Toen klonken snelle voetstappen en werd de deur wijder geopend. Een lange man met bruin steil haar wat over zijn voorhoofd viel en scherpe grijze ogen achter een bril, keek haar hoogst verbaasd aan.

„Wie mag jij wel zijn?" vroeg hij niet al te toeschietelijk.

Nu werd Marit echt kwaad. „Wie ik ben? Ik kom uit Nederland om op uw kind te passen en als gezelschap te dienen voor uw vrouw. Gisterenavond ben ik gestrand in het huis van een zekere Philip. Ik sta hier nu al zo'n tien minuten in de regen. Ik ben Marit Steinz en ik hoop dat u nu een licht opgaat." De man zag er niet uit of alles hem nu duidelijk was, maar hij maakte een gebaar en zei: „Kom binnen." Ze volgde hem door een lange gang, aan het eind opende hij een deur en kwamen ze in een ruime kamer. Deze keek uit op de prachtig aangelegde achtertuin.

Er brandde een vuur in de open haard en Marit merkte nu pas hoe door en door nat en koud ze was. De man schoof een gemakkelijke stoel bij en Marit strekte haar voeten uit naar het vuur. Ze zag dat ze vlekken maakte op het lichte kleed, maar ze bleef zitten.

„Ik begrijp dat u uit Nederland komt. Ikzelf ook, dus laten we onze eigen taal maar hanteren. Ik ben Michael van Kempen. Wie zei je dat je was?"

„Marit Steinz," zei ze voor de tweede keer.

„Die naam zegt mij helemaal niets."

Op dat moment schoot het Marit te binnen. Ze had natuurlijk

Jasmins naam moeten noemen. Maar het was nu te laat. Ze besloot open kaart te spelen.

„Je hebt een advertentie gezet in een Nederlandse krant," herinnerde ze hem. „Zegt de naam Jasmin van Uden u wel iets? Ik val voor haar in. Zij was namelijk plotseling verhinderd en vond het heel vervelend u teleur te stellen. Ik ben haar beste vriendin."

„Ik weet van Jasmin. Een week geleden heb ik haar een brief gestuurd dat de hele zaak niet doorging."

„Wat zeg je?" Nu was het Marits beurt om hem stomverbaasd aan te kijken.

„Daar weet ik niets van. Als ik dat had geweten was ik natuurlijk niet gekomen."

„Het ziet er naar uit dat je beste vriendin je voor de gek heeft gehouden," zei hij spottend. Toen hij haar gezicht zag zei hij vriendelijker: „Mogelijk heeft ze de brief niet ontvangen. Ik had nog even moeten bellen voor een bevestiging. Maar ik heb het erg druk gehad met mijn werk en dergelijke. Het is er niet van gekomen. Het spijt me heel erg."

„Dus je stuurt me terug?" Marit merkte tot haar ergernis dat de tranen haar in de ogen sprongen. „Waarom was Jasmin ineens niet meer nodig? Had u bij nader inzien toch liever iemand van hier?"

„Ik niet. Maar mijn vrouw heeft het ineens in haar hoofd gehaald dat ze geen Nederlandse wil. Mogelijk verandert ze nog van gedachten als ze jou ziet."

Marit keek langs haar besmeurde kleren en betwijfelde dat laatste zeer.

„In elk geval zal ik je de kamer wijzen die in eerste instantie voor je vriendin in orde was gemaakt. Geef me de sleutels van je auto dan rijd ik deze wat dichterbij. Je kunt dan de nodige spullen eruit halen om je wat op te knappen. Blijf maar boven tot ik je kom halen. Mijn vrouw heeft het niet zo op vreemden. Ik moet haar eerst voorbereiden." Hij schonk haar een wat verontschuldigende glimlach en stond op. Ze volgde hem de trap op naar een ruime kamer die gezellig was ingericht. Er stond een bank en enkele gemakkelijke stoelen. Er was een doorgang naar een kleinere ruimte die als slaapkamer was ingericht. Op het bed lag een sprei met een dessin van rozen. Bloemetjesbehang op de muur. Gelukkig was de vloerbedekking egaal. Maar alles zag er keurig uit en de badkamer was van alle gemakken voorzien. „Het is fantastisch," zei ze, bedacht dan dat ze hier enkel gebruik van mocht maken om zich op te knappen. Hij knikte, vroeg welke koffer ze nodig had. Even later zocht ze opnieuw schone kleren bij elkaar. Ze zou het er maar even van nemen, besloot ze. Ze draaide de deur op slot, besloot ook haar haren te wassen. Ze zou zichzelf eens verwennen en te voorschijn komen als een heel andere vrouw. Een heks, had die oude man gezegd. Het eerste wat ze ging doen, zodra ze hier weg was, was haar vriendin bellen om haar eens flink de waarheid te zeggen. Als dit een grap moest voorstellen was het niet echt geslaagd. Intussen nam ze de tijd om zich op te maken. Er was zelfs een föhn om haar haren in model te drogen. Ze zou hen laten zien dat ze niet een of andere zielige zwerfster was, die om onderdak kwam bedelen. In deze koffer zat echter alleen nog een jeans en een jasje. Michael leek haar een type die hield van vrouwen in keurige pantalons en plooirokken. Ze koos een shirt met een blauwwit streepje en vond dat het er zeker mee door kon.

Ze pakte haar natte kleren bij elkaar en legde deze op een plastic tas. Eerst naar beneden, hopelijk zou ze toch niet onmiddellijk buiten de deur worden gezet. Toen ze de trap afliep werd de deur beneden geopend. „Wat een metamorfose," zei hij vriendelijk.

„Lieve help, was het zo erg?"

„Erger." Hij lachte. „Ga zitten. Wat doen we nu verder?"

„Dat zal van jou en je vrouw afhangen."

„Zeg maar Michael. Het maakt mij niet uit of je nou Jasmin bent, of hoe heet je ook alweer?"

„Marit Steinz," zei ze voor de derde keer die dag.

„Een beetje een aparte naam," verontschuldigde hij zich.

„Afgeleid van Margarethe," meende ze te moeten verklaren.

„Het probleem is dat mijn vrouw geen Nederlandse in huis wil."

„Weet je de reden daarvan?"

„Absoluut niet. Ze heeft enige tijd in Nederland gewoond, daar heb ik haar leren kennen."

„Wil je iets drinken? Thee of koffie?"

„Koffie graag."

Hij knikte. „Daar sluit ik me graag bij aan. Zoals je wel zult weten, er wordt hier eindeloos thee gedronken." Hij stond op en verdween uit het vertrek.

Marit keek rond. Het was zeker een sfeervolle kamer met uitzicht op de tuin. Er waren brede openslaande deuren met daarachter een terras. Ze zou hier best een tijdje willen doorbrengen. Hij leek heel aardig. Maar ze had natuurlijk meer met zijn vrouw te maken.

„Is je vrouw niet thuis?" vroeg ze, toen hij terugkwam met een blad koffiebenodigdheden.

„Mijn vrouw is altijd laat op. Wil jij inschenken?"

Laat? dacht Marit. Het was inmiddels elf uur! En het kind, hield die zich ook al die tijd rustig?

„Je hebt toch een dochter?" vroeg ze.

Hij knikte. „Emma is nu bijna vier jaar. Ze is erg op haar moeder gericht. Joanna verliest haar geen moment uit het oog."

Marit fronste. Het kwam in haar op om te zeggen dat dit niet normaal was en zeker niet goed voor een kind, maar ze hield zich in. Ze had er niets mee te maken. Toen hoorde ze voetstappen op de trap. Een kinderstemmetje en een zachte vrouwenstem die antwoordde. De deur werd geopend en het meisje holde naar binnen, werd opgevangen door haar vader. Het kind was duidelijk dol op Michael. De vrouw bleef naast de stoel van haar echtgenoot staan. „Wie is dat Michael?" vroeg ze. Er klonk een spoor van angst in haar stem.

„Daar moeten we eens over praten," zei haar man op sussende toon.

De vrouw ging zitten en Marit zag dat ze haar handen ineen klemde. Het leek of ze bang was. Zelfs de gewone beleefdheidsvormen, zoals zich zichzelf voorstellen kon ze blijkbaar niet opbrengen.

„Er zou een meisje uit Nederland komen voor jou en voor Emma," begon Michael rustig.

„We hadden afgesproken dat we het niet zouden laten doorgaan. Je had beloofd dat je het zou regelen."
De vrouw klonk nu bijna hysterisch en Marit voelde zich erg
ongemakkelijk. Het eenvoudigste zou natuurlijk zijn om te
zeggen: goed, ik ga al. Maar gek genoeg wilde ze dit baantje.
Ze wilde niet onverrichter zake naar huis terugkeren.
„Ik heb het geregeld en haar een brief geschreven, maar die
heeft ze niet ontvangen."
„En dat geloof jij?"
„Waarom niet? Waarom zou iemand die ons niet kent, koste
wat kost hier willen werken?" Marit was blij dat hij de waar-
heid over de brief niet vertelde.
„Nou dan moet ze maar weer teruggaan," zei de vrouw
schouderophalend. Haar lichte ogen leken wel dwars door
Marit heen te kijken.
„Ik weet niet of je die beslissing nu al moet nemen Joanna.
Vanaf morgen ben ik weer een volle week weg."
Marit stond plotseling op. „Vind je het goed dat ik even naar
boven ga, terwijl jullie dit bespreken?" wendde ze zich tot
Michael.
„Natuurlijk. Ik begrijp dat dit voor jou niet prettig is."
Niet prettig, dacht Marit terwijl ze de trap opliep. Ze was dui-
delijk niet welkom.
En dit alles had voorkomen kunnen worden als Jasmin eerlijk tegen haar was geweest.
Eenmaal boven aarzelde ze. Welke deur ook weer? Ze opende de dichtstbijzijnde en schrok zich wezenloos toen ineens
een stem klonk: „Geen vrouwen hier. Geen vrouwen bij een
man alleen." Het was de oude heer die Stanley werd
genoemd. Haastig sloot ze de deur weer. Was ze toch in een
inrichting voor gestoorden terecht gekomen? Want die
vrouw van Michael leek haar ook niet helemaal normaal.
Even later stond ze in de kamer die haar eerder was toege-
wezen en keek door het raam in de verregende tuin.
Misschien was die Joanna contactgestoord. Maar dan zou het
niet eenvoudig zijn om met haar om te gaan.
Ze waren nu beneden bezig te overleggen of ze hier wel
mocht blijven, maar ze kon zelf ook wel besluiten te vertrek-

ken. Er waren vast leukere baantjes te bedenken. Terwijl ze zo naar buiten keek zag ze iemand over het pad naar het huis toelopen. Ze kon niet goed zien of het een man was dan wel een vrouw. Hij of zij droeg een wijde jas met capuchon. De bel was heel duidelijk te horen en ze begreep dat de persoon werd binnengelaten. Even later werd er op haar deur geklopt. „Kom je beneden?" vroeg Michael. „Onze vriend Philip Harris wil je graag ontmoeten." Dat moest dezelfde Philip zijn die zij al had ontmoet. Marit had niet zo'n behoefte hem weer te zien. Het feit dat hij naar haar had gekeken terwijl ze in slaap was maakte haar verlegen.

„Je hebt al kennis gemaakt met Philip, begrijp ik," zei Michael vriendelijk.

„Ze heeft bij mij geslapen en ontbeten," zei Philip.

Verontwaardigd keek ze hem aan. Hij knipoogde waardoor het leek of er van alles achter die opmerking stak.

„Philip," begon Joanna op klagelijke toon.

„Rustig maar liefje, er is niets aan de hand. Waar is Emma eigenlijk?"

„Ik heb haar weer naar boven gebracht. Daar moet ze blijven."

„Natuurlijk niet!" Philip was de deur al uit en ze hoorden hem de trap oprennen en de naam van het kind roepen. Marit zag dat de vrouw weer haar handen in elkaar wrong, haar ogen stonden angstig. Er zijn hier vreemde dingen gaande, dacht ze. En ineens wilde ze dolgraag blijven. Ze wilde er achter komen wat hier aan de hand was. Even later kwam Philip beneden met het kind aan de hand. Een mooi meisje met heel donkere ogen en bijna zwart haar.

Marit keek naar de ouders en dacht dat ze waarschijnlijk geadopteerd zou zijn. Dat zou mogelijk verklaren waarom ze het kind zo overdreven beschermde. Het kind negeerde de moeder en huppelde naar Michael die haar optilde. Vanaf haar vaders arm nam het kind Marit onderzoekend op. „Wie is zij?" vroeg ze.

„Deze mevrouw heet Marit en ik denk dat ze hier een tijdje komt wonen."

„Om op mamma te passen en om spelletjes met mij te doen,"

zei het kind dat dit waarschijnlijk al meer bij de hand had gehad. „Ze gaat zeker heel vlug weer weg."

Hieruit trok Marit de conclusie dat anderen het hier niet lang hadden uitgehouden.

„Michael, ik wil een Engelse," zei de vrouw als een kind die haar zin niet krijgt.

„Joanna, je hebt hier al vier Engelse meisje gehad. Dat was geen succes, is het wel? Probeer het eens met haar. Als ze wil tenminste."

„Ben je nieuwsgierig?" richtte Joanna zich plotseling tot Marit. „Nieuwsgierigheid kan ik niet uitstaan."

„Ik snuffel niet in het leven van andere mensen," zei Marit koel.

„Goed dan." Joanna leek ineens erg vermoeid. „Michael, je weet dat Emma binnen moet blijven." Marit vond dit een tamelijk zinloze opmerking aangezien de regen nog steeds tegen de ramen kletterde.

Joanna ging de kamer uit en het bleef even stil. Toen zei Michael: „Ik heb een flink boekwerk met regels die Joanna heeft opgesteld."

„Neem niet alles te letterlijk," zei Philip. „Je weet hoe ze is. Ik ga maar eens."

„Bedankt voor je hulp. Naar jou luistert Joanna nu eenmaal meer dan naar mij."

„Je bent te soepel, Michael. Je moet ook regels opstellen en je daaraan houden. Om te beginnen in verband met Emma. Dat kind komt haast nooit buiten. Breng daar zo spoedig mogelijk verandering in."

Nooit naar buiten, dacht Marit. Lieve help, dan zou zij hier ook wel het grootste deel van de tijd opgesloten zitten.

Even later was Philip verdwenen en Michael zette Emma op de grond.

Het kind holde naar een hoek van de kamer waar wat speelgoed stond opgesteld.

„Je zult een en ander wel vreemd vinden," zei Michael nu. „Je kunt mij vragen stellen maar ik weet zeker niet overal een antwoord op."

„Waarom mag jullie dochter niet naar buiten?" vroeg ze dus

maar. „Heeft het met haar gezondheid te maken?"

„Zeker niet. Emma is een kerngezond kind. Joanna is over-bezorgd en laat haar geen moment aan haar aandacht ont-snappen."

„Als ik er ben om op Emma te passen neem ik aan dat je vrouw in die tussentijd iets anders gaat doen," zei Marit, die het niet zag zitten als Michaels vrouw de hele dag om haar heen was.

„Probeer dat maar met Joanna te regelen."

Proberen? Ze zou het eisen, dacht Marit geïrriteerd. Wat kwam ze hier anders doen?

„Wil je vrouw echt Nederlands leren?" was haar volgende vraag.

„Jazeker. Ze wil Nederlandse programma's op de televisie zien. Ze wil mijn krant kunnen lezen. Ze heeft twee jaar in Nederland gewoond. Daar hebben we elkaar ontmoet. Ik werkte toen op Schiphol. Uiteindelijk kreeg Joanna toch heimwee."

Marit knikte. Natuurlijk had Joanna haar zin gekregen en had Michael het kunnen regelen dat hij werk kreeg op Heathrow. Het was misschien ook geen slechte ruil, gezien het huis wat ze bewoonden.

„Die Philip Harris," aarzelde ze toen. „Is hij een familielid?"

„Hij is een goede vriend en tevens Joanna's neef. Hij werkt ook op de luchthaven bij de bewaking. In zijn vrije tijd knapt hij het huis op dat hij heeft geërfd. Stanley is een oom van Joanna. Hij begint een beetje in de war te raken maar hij doet niemand kwaad. Ik stel voor dat je hier vandaag maar wat rondkijkt. Mogelijk kun je een tijdje met Emma spelen. In de loop van de dag hoor je dan wel van Joanna wat de regels zijn."

„En mag ik daar tegenin gaan?" vroeg ze.

„Je kunt het proberen," glimlachte hij. Marit kreeg niet de indruk dat hij veel resultaat verwachtte. „Als ik het gevoel krijg dat ik hier volkomen nutteloos bezig ben, dan blijf ik niet," zei ze fel.

„Dat begrijp ik. En ik moet bekennen dat het ook de reden is dat veel meisjes afhaakten. Ik dacht alleen als jij alle schepen achter je hebt verbrand, geen werk meer hebt of woonruimte, dat het dan wat moeilijker is om spoorslags terug te keren."

Marit dacht eraan dat ze haar flat inderdaad voor een halfjaar had onderverhuurd, maar ze kon natuurlijk altijd bij haar moeder terecht. Of bij Jasmin, die was haar wel iets verplicht.

Michael stond op. „Misschien wil jij je nu op je kamer installeren. Ik houd Emma wel even bij me. Morgen vertrek ik weer voor enkele dagen."

Dat vond Marit zeker geen prettig vooruitzicht maar ze liet niets merken. Als er problemen waren kon ze Philip bellen. Ze had alleen geen telefoonnummer. Trouwens het leek haar niet dat hij zat te wachten op klachten over Joanna. Het was misschien wel goed dat ze haar eigen zaakjes regelde. Haar eigen regels opstelde. Dan wist ze gelijk waar ze aan toe was.

HOOFDSTUK 4

Op haar kamer begon ze met het uitpakken van haar koffers. Het was een fijne ruime kamer, wat dat aanging zou ze hier wel kunnen wennen, meende ze. Ze keek door het raam. Het regende niet meer, hoewel de lucht nog grijs was. Ze zou straks de tuin ingaan, besloot ze.

Maar eerst ging ze Jasmin bellen. Ze zou nu op haar werk zijn, maar dat was dan jammer.

Ze belde haar mobiel. „Met Jasmin." Marit zag haar vriendin voor zich, met haar springerige roodbruine haar en de vrolijke groene ogen. „Bedankt voor de streek die je me hebt geleverd," begon ze zonder zich te melden.

„Marit, ben jij dat?

„Wie anders? Zijn er nog meer mensen die je zoiets hebt geleverd?"

„Luister, ik kan nu niet met je praten. Ik bel je in de lunchpauze terug."

„Kan ik daar op rekenen?" vroeg Marit boos.

„Ja, natuurlijk."

„Goed, tot straks dan."

Het was natuurlijk ook niet prettig om op je werk gestoord te worden. Jasmin kon zich nu in elk geval een paar uur druk maken over hoe ze zich moest verontschuldigen, dacht Marit nijdig.

Toen ze een en ander had opgeruimd viel er zowaar een streepje zonlicht in haar kamer. Het was ook zo weer verdwenen maar het was een begin. Niettemin trok ze een paar stevige schoenen aan. Ze vroeg zich af of ze moest melden wat ze ging doen. Vervolgens bedacht ze dat Michael had gezegd dat ze vandaag wat moest rondkijken.

Even later haastte ze zich de trap af naar buiten. Ze wilde niemand tegenkomen. De tuin was zeer uitgestrekt zoals haar al was opgevallen. Het eerste gedeelte was keurig aangelegd met paadjes en borders.

Langzamerhand werd het allemaal wat minder gecultiveerd. Struiken overwoekerden de paadjes en soms was er helemaal geen pad. Wel leuk om verstoppertje te spelen, dacht ze even. Maar het kind was hier altijd alleen dus dat ging moeilijk.

Even later kwam ze bij een open terrein. Hier stonden twee vakantiehuisjes. Eenvoudig en niet al te groot, begroeid met klimrozen. Het zou misschien wat levendigheid brengen als enkele gezinnen hier hun vakantie doorbrachten. Maar nu zagen de huisjes er onbewoond uit.

Het was nog vroeg in het seizoen. Misschien zou Emma hier in de zomer met andere kinderen kunnen kennismaken, zodat ze eens echt spelen kon. Na alles wat ze had gehoord, ging ze er echter vanuit dat Joanna dat niet goed zou vinden. Ze liep naar een van de huisjes toe en gluurde door een raam. Sober, maar doeltreffend gemeubileerd. Misschien kon haar moeder hier wel eens logeren. Of Jasmin!

De deur zwaaide zo plotseling open dat ze een kreet van schrik slaakte.

„Wat sta jij hier te gluren?" klonk het in het Engels. De man zag er een tikje onverzorgd uit. Ongeschoren en met verwarde blonde haren.

„Ik kom hier werken. Bij Michael en Joanna," zei ze.

„Ha! De zoveelste. Je houdt het toch niet vol. Ik ben James."

„Ben je hier met vakantie?" vroeg ze.

„Nee. Ik woon hier."

Marit zag haar gedachten over een vriendinnetje voor Emma in rook opgaan. „Ik dacht dat deze huisjes verhuurd werden," zei ze.

„Vroeger wel. Maar Joanna houdt niet van vreemden op haar terrein. Mij kent ze."

Toe maar. Het moet niet gekker worden, dacht Marit.

„Je woont hier dus permanent?" vroeg ze ten overvloede.

„Ik schrijf een boek," gaf hij een verklaring.

„Dan zul je hier niet veel gestoord worden."

„Nee, jij bent de eerste in dagen." Ze kreeg een kleur en deed enkele passen achteruit.

„Ik bedoelde het niet zoals het klonk," glimlachte hij.

Marit geneerde zich echter dat ze door het raam had staan gluren.

„Als je hier blijft, ga dan voorzichtig om met Joanna."

„Moet ik haar als breekbaar porcelein behandelen?"

„Dat niet, maar ze staat niet zo zeker in haar schoenen. Heel anders dan jij."

Even later liep Marit verder het bos in. Zij zag er blijkbaar zelfverzekerd uit. Over het algemeen had ze ook een flinke dosis zelfvertrouwen. Maar de situatie waar ze nu in terecht was gekomen maakte haar wel onzeker. Ze keek om, de man stond in de deuropening en stak groetend zijn hand omhoog. Ze had het niet gewaagd om ook bij het andere huisje naar binnen te kijken. Op het terrein stonden enkele speeltoestellen en ze besloot hier zeker een keer met Emma heen te gaan. Ze begon zich juist af te vragen of dit hele stuk bos bij het huis hoorde toen ze beneden zich ineens een smalle rivier zag. Dat moest dan de grens wel zijn, dacht ze, om zich heen kijkend. Wat was het hier mooi. Ruig en onbedorven. Het pad liep langzaam af naar de rivier. De helling was rotsachtig en nu alles nat was van de regen leek een afdaling niet ongevaarlijk. Dus besloot ze terug te gaan. Maar ze was hier vast niet voor het laatst. Op haar vrije dag, aangenomen dat ze die had, zou ze weer op onderzoek uitgaan.

Toen ze de Fairiesgarden weer zag liggen, was ze bijna twee uur weggeweest. Ze liep achterlangs en vond in de serre Michael samen met zijn dochter. Hij leek opgelucht toen hij haar zag. „Het was dat ik je auto zag staan, anders had ik gedacht dat je nu al was vertrokken."

„Zo onbeleefd ben ik nou ook weer niet. Ik heb wat in de tuin rondgekeken. Wat een ruimte en rust."

„Als je daarvan houdt. Ik heb een drukke baan, veel mensen om me heen, veel lawaai ook, dus ik vind het een verademing hier te komen. En Joanna die hoeft helemaal nergens heen. Ik maak me wel eens zorgen. Over enkele jaren moet Emma naar school. Zij zal ook erg moeten wennen aan een klas vol kinderen."

„Je kunt een kind niet volkomen geïsoleerd opvoeden." Ze hield abrupt haar mond. Het kwam zo wijsneuzig over.

„Vertel dat maar aan mijn vrouw," zei hij kortaf. „En als je gedaan krijgt dat zij dit huis en de omgeving een keer laat voor wat het is en bijvoorbeeld gaat winkelen, dan heb je een medaille verdiend." Het klonk bitter en Marit begreep dat hier flinke meningsverschillen lagen. Waarom was deze man van de wereld toch met zo'n schuw vogeltje getrouwd? vroeg ze zich af.

Aan het eind van de morgen kwam Joanna naar beneden voor de lunch. Michael had deze verzorgd en hij had Marit verteld wat de gewoonte was en waar ze alles kon vinden. Ze begreep dat dit voortaan haar taak was. Emma vertelde wat ze die morgen had gedaan. Hieruit trok Marit de conclusie dat Joanna haar bezighield met allerlei werkjes die ook op de kleuterschool werden gedaan, zoals tekenen, plakken en knippen.

Het kind praatte ook goed. Als ze achterkwam zou dat op sociaal gebied zijn, dacht Marit.

„Wonen in deze buurt geen kinderen waar ze mee spelen kan?" vroeg ze.

Joanna keek haar aan of ze gevloekt had. „Emma verveelt zich nooit," zei ze koel. „Wat kan ze voor goeds leren van andere kinderen?"

Deze kortzichtige opmerking snoerde Marit de mond. Ze begreep trouwens wel dat ze niet gelijk met kritiek moest beginnen. Binnen de kortste keren zou Joanna haar zeggen dat ze niet meer nodig was.

„Ik zal je vanmiddag uitleggen wat je taken zijn," klonk het gedecideerd van Joanna. Lieve help, dat kon wel eens moeilijk worden, dacht Marit. Ze kon beter maar wat inschikkelijk zijn.

Veranderingen moest je geleidelijk invoeren.

Ze had net de tafel afgeruimd, waarbij Michael opnieuw hielp, toen haar mobiel afging. Het was Jasmin en ze liep naar de serre. Ze zag Joanna's afkeurende blik maar negeerde deze.

„Jasmin." Ze hield haar stem opzettelijk koel en wachtte af.

„Marit, is alles goed met je?" Haar vriendin klonk werkelijk bezorgd.

„Prima. Maar dat heb ik meer aan mijn eigen flexibele geest te danken dan aan jouw perfect geregel."

„Marit, het spijt me echt."

„Dat is je geraden."

„Jij had ja gezegd, je had alles al geregeld en toen kwam die brief. Ik ging ervan uit dat als ze jou zagen ze wel van gedachten zouden veranderen. En dat is ook gebeurd, waar of niet?"

„Moet dit een compliment voorstellen?"

„Ja. Kom op, vertel." Jasmin kende haar vriendin goed genoeg om te weten dat deze niet lang boos zou blijven. Marit zag dat Joanna de kamer uit was. Zeker om haar map met regels te halen, dacht ze cynisch.

„Ik ben hier nog maar net, Jasmin. Ik heb overnacht in een soort spookhuis, samen met een onbekende man. Toen ben ik door de stromende regen hierheen gekomen en ze waren niet echt blij mij te zien. Maar ik geloof dat er nu besloten is dat ik voorlopig mag blijven. Onder ons gezegd, ik heb het idee dat hier figuren rondlopen waar een steekje aan los zit. Maar het is een beetje ingewikkeld om dat allemaal telefonisch uit te leggen. Ik stuur je wel een mail."

„Maar ik ben zo ontzettend benieuwd," sputterde Jasmin.

„Dan zul je nog moeten wachten," zei Marit hardvochtig. Haar vriendin had haar in deze onmogelijke situatie gebracht en nu wilde ze spannende verhalen horen. Ze zou zich even moeten verbijten.

Even later zat ze met Joanna aan tafel. Deze had inderdaad een blocnote bij zich. Toen Marit de volgeschreven bladzijden zag zonk de moed haar in de schoenen.

„Het gaat niet alleen over Emma," zei Joanna die haar blik opving. „Je moet toch weten hoe de gang van zaken hier is. Het ontbijt, ik ga ervan uit dat jij dat klaarmaakt. Ik eet op mijn kamer."

„In bed?" kon Marit niet nalaten te vragen.

„Soms. Dat hangt ervan af hoe ik me voel. Emma eet dan bij mij."

„Ik zal dus vaak alleen eten," veronderstelde Marit. „Ik heb begrepen dat je man vaak weg is."

„Hij is er enkele morgens per week. En oom Stanley is er natuurlijk ook."

Gezellig, dacht Marit. Samen eten met een persoon die niet meer echt helder was. En als oom Stanley bij zijn standpunt bleef dat hij geen vrouwen wilde bij een man alleen, dan werd het nog leuker.

„Stanley doet niemand kwaad," zei Joanna.

„Waarom eet jij niet met Emma beneden? Dat is voor haar toch gezelliger."

„Ze is het liefst bij mij," zei Joanna stuurs.

„Daar twijfel ik niet aan. Maar ze is ook graag bij haar vader. Ik zag hoe blij ze was hem te zien."

Joanna keek haar fronsend aan. „We zijn nog maar aan het begin en je wilt de regels al veranderen."

„Ik geef alleen mijn mening," zei Marit kalm. Ze was niet van plan gelijk alweer terug te krabbelen.

„Na het ontbijt zou jij je enige tijd met Emma kunnen bezig houden. Ik wil dat je Engels tegen haar praat," ging Joanna verder.

„Zou het niet handig zijn als ze tweetalig was, nu haar vader Nederlander is?" waagde Marit.

„Ik wil niet dat ze Nederlands leert," zei Joanna fel.

„Heb je iets tegen Nederland?" vroeg Marit een tikje beledigd.

„Ik heb er korte tijd gewoond. Dat is niet bevallen. Ik heb niets met dat land."

Marit zweeg. Het was wel een vreemde situatie. Joanna was nog wel met een Nederlander getrouwd. Iemand anders zou gezegd hebben: in dat land heb ik het geluk gevonden.

„Na de lunch kun je een uurtje met Emma naar buiten. Niet verder dan de tuin en je moet haar steeds bij de hand houden."

Marit onthield zich nu van commentaar. Het was te gek voor woorden dat het kind niet vrij mocht rondlopen. „Heeft Emma buiten iets van een schommel of een zandbak?" vroeg ze.

„Een schommel is veel te gevaarlijk," zei Joanna prompt. „Je hebt waarschijnlijk gezien dat er aan de voorkant een vijver is. Emma weet dat ze daar niet mag komen."

Marit zuchtte. „Sorry, het zijn mijn zaken niet. Hoewel, als ik voor haar moet zorgen toch wel een beetje. Vind je niet dat Emma erg in haar vrijheid wordt beperkt? Ze is nog maar vier jaar. Als ze ouder wordt zijn de gevaren heus niet minder. Als ze zo beschermd wordt is ze helemaal niets gewend en totaal niet weerbaar."

Joanna klemde de handen ineen. „Ik heb nog zo tegen Michael gezegd dat ik geen Nederlandse wilde," mompelde ze. „En het blijkt dat ik gelijk had. Je bemoeit je overal mee. Ik geef je regels en daar heb jij je aan te houden."

„Oké, je hebt gelijk," ging Marit plotseling overstag.

Joanna keek haar wantrouwend aan, maar Marit keek kalm terug. Het was waar, ze was bezig zich overal mee te bemoeien. Als ze iets wilde veranderen, al was het maar ter wille van Emma, dan zou het heel voorzichtig moeten gebeuren.

„Goed, wat nog meer?" vroeg ze zakelijk.

„Ik zou je willen vragen regelmatig wat boodschappen te doen. Je kunt daarvoor in Fowey terecht. Het is een leuk stadje niet ver hier vandaan, het ligt aan de rivier de Fowey. Zelf kom ik eigenlijk nooit buiten dit terrein."

„Je zou mee kunnen gaan," stelde Marit voor, klemde toen haar lippen op elkaar. Daar begon ze alweer.

„Ik ben het liefst thuis. Kun je koken?" ging Joanna op iets anders over.

„Jawel. Maar ik ben geen superkok."

„Het is al fijn als je het af en toe van mij overneemt."

Lieve help, wat deed ze toch hele dagen? vroeg Marit zich af.

„De meeste avonden heb je vrij. Misschien wil je uitgaan?"

„Ik ken hier niemand."

„Misschien kent Philip iemand die met je mee wil. Hij is erg aardig. Op het moment is hij vrij, voor zover ik weet. En ik zou het weten als het anders was."

Het klonk of die Philip vriendinnen bij de vleet had. Marit had helemaal niet de indruk gekregen dat hij zo'n charmeur was. Nu had ze er zelf ook niet op zijn aantrekkelijkst uit gezien. Waarschijnlijk bewaarde hij zijn charmes voor mooie vrouwen.

„Ik ontmoette een zekere James," zei ze toen.

Joanna leek geschokt. Toen zei ze: „Heb je James ontmoet? Ben je daar helemaal geweest? Achter in de tuin?"

„Zover is dat niet."

Kalm zei Joanna: „Het is een half uur lopen. Ik wil niet dat je daar komt. James is daar omdat hij van rust houdt."

„Ik ben daar niet met een muziekcorps heengegaan," zei Marit nijdig. Ze stond op. „Wil je dat ik vanavond al kook?" „Ik zal het wel doen. Als jij wat boodschappen doet."

Ze gaf haar een lijstje en vertelde haar hoe ze moest rijden. Marit was blij dat ze even weg kon. Ze hoopte enkele normale mensen te ontmoeten. Joanna is gestoord dacht ze toen ze eenmaal in de auto zat. Hoe hield een man als Michael het met haar uit. Hij was zeker gevallen voor haar poppengezichtje en de smekende blik in haar blauwe ogen. Maar goed, het was haar zaak niet. Zij zou hier vast niet lang blijven. Aan de andere kant zou ze graag willen weten hoe een en ander in elkaar stak. Waarom was Joanna zo overdreven met het kind? Ze kwam nooit buiten beweerde ze. Maar ze wist wel exact hoe ver het was naar het huisje waar die James woonde. Deze had haar gezegd: "voorzichtig met Joanna". Dat zou het zijn. Mensen vielen voor haar omdat ze er uitzag en zich gedroeg als een hulpeloos kind. Had die Philip haar ook niet in bescherming genomen? Nou aan dergelijke onzin deed zij niet mee.

Fowey bleek inderdaad een sfeervol havenstadje met veel smalle oplopende straatjes. Marit had een flinke boodschappenlijst meegekregen, maar een behoorlijke supermarkt zag ze niet. Ze kocht enkele artikelen bij een drogist en bedacht dat ze beter kon vragen naar een grote winkel. Evenals in Nederland zou deze wel buiten de stad liggen. Ze moest even zoeken naar het parkeerterrein waar ze haar auto had achtergelaten.

„Ben je de familie van Kempen nu al ontvlucht?" klonk het opeens achter haar.

Het was Philip, deze keer keurig in vrijetijdskleding.

„Joanna gaf me een boodschappenlijstje, maar ze vergat erbij te zeggen waar zij die spullen gewoonlijk haalt."

„Misschien weet zij dat niet eens. De boodschappen worden door Isabel of door Michael gedaan. Isabel is haar huishoudelijke hulp."

„Lieve help, nog meer hulp," kon Marit niet nalaten te zeggen.

„Doet zijzelf helemaal niets?"

„Weinig," gaf Philip volmondig toe. „Ga je mee iets drinken? Dan zal ik je de route naar een supermarkt wijzen."

Marit liep met hem mee. Waarom ook niet. Ze zou ruimschoots op tijd zijn voor Joanna met koken begon. En wat stond haar dan nog te doen, behalve de tafel dekken en weer afruimen?

Even later zat ze met Philip op een gezellig terras met uitzicht op de rivier. Ze nipte van haar ijsthee en zei: „Ik weet niet goed wat ik met Joanna aan moet. Als ik het goed heb begrepen ben ik er hoofdzakelijk voor Emma. Maar Joanna durft het kind nauwelijks uit het oog te verliezen. Is er wel eens iets met Emma gebeurd? Denk niet dat ik wil roddelen. Maar als het zoiets is zou ik haar beter begrijpen."

Langzaam zei Philip: „Michael is een goede vriend van me. Maar toen ik hem leerde kennen was hij al met Joanna getrouwd. Hij had haar in Nederland ontmoet, ze was stewardess. Ze wilde heel graag weer in Engeland wonen. Michael wilde ook wel iets anders en kon een baan krijgen op Heathrow. Voor zover ik weet bracht Joanna haar dochter mee in haar huwelijk. Emma is niet van Michael hoewel ze daar nooit over praten. Ik heb me ook wel eens afgevraagd waarom ze zo beschermend optreedt. Het is natuurlijk mogelijk dat de echte vader rechten doet gelden op het kind. Hij schijnt een buitenlander te zijn. Dergelijke personen hechten ongelofelijk veel waarde aan hun kinderen en halen ze soms weg bij de moeder."

Zoiets zou het kunnen zijn, dacht Marit. Maar hoe zou iemand Emma hier ooit kunnen vinden?

„Het is wel prettig dat ik iets meer weet," zei ze.

„Overigens is Michael dol op het kind."

„Ja, hij is bepaald niet het type van een stiefvader."

„Jammer dat het bij Emma schijnt te blijven. Maar het is misschien beter zo. Joanna is erg labiel."

„Moeten we daar aan toegeven?" vroeg Marit, haar lege glas neerzettend.

„Ik denk dat dat het verstandigst is," antwoordde Philip. „Laat mij je nu uitleggen hoe je bij de dichtstbijzijnde supermarkt komt. Het is een grote, die zul je hier vaker tegenkomen. Dicht bij Truro is er een." Hij boog zich wat naar haar toe, tekende de route op een velletje uit zijn agenda. Marit luisterde, maar werd ineens afgeleid door het donkere haar dat eigenzinnig krulde. Hij had een sterke kaaklijn en een mooi gebit. Ineens keek hij haar aan en ze kreeg een gloeiende kleur. Ze zat deze, voor haar bijna vreemde man, aan te staren of hij een wereldwonder was.

„Is er iets?" vroeg hij.

„Ik dacht ineens dat je wel erg donker bent voor een Engelsman," was het eerste wat haar te binnen schoot.

„Niet alle Engelsen zijn rossig," antwoordde hij.

„Ik ontmoette vanmorgen een zekere James," begon ze snel over iets anders.

„James Cooper. Dan was je flink afgedwaald."

„Ik ben van plan nog wel verder af te dwalen," zei ze een tikje uitdagend. „Ik maakte een wandeling door de tuin. Ik neem aan dat dat niet verboden is."

„Toch moet je niet teveel die kant uitgaan. Je zou dingen kunnen zien die niet voor jouw ogen bestemd zijn."

Marit stond op en pakte haar tas. „Hoezo? Spookt het daar?"

Hij schudde het hoofd. „Jij, als nuchtere Hollandse, gelooft natuurlijk alleen in zaken die je echt kunt beredeneren. Zal ik met je meegaan om de boodschappen te helpen dragen?

Eigenlijk wilde Marit niets liever maar toch wees ze het aanbod af. Ze was al veel te ver gegaan door hem zo aan te kijken. Hij liep nu met haar mee naar de auto. „Je moet je niet teveel opsluiten in de Fairiesgarden," zei hij. „Er is in deze omgeving veel moois te zien. Als je bijvoorbeeld van tuinen houdt, vele zijn opengesteld voor het publiek. Er zijn schilderachtige kustplaatsen. En Lands End natuurlijk. Zullen we daar samen een keer heen gaan?"

„Je bent gewoon een levende reclame," lachte ze. „Denk je dat Joanna mij laat gaan?"

„Je moet er niet mee beginnen haar in alles haar zin te geven," zei hij kalm.

„Dat ben ik niet van plan." Ze waren intussen bij haar auto gekomen. „Ik wil graag een keer naar Lands End," zei ze.

50

Hij knikte. „Goed, dat is dan afgesproken." Hij stak zijn hand groetend omhoog toen ze wegreed. Het was fijn iemand te kennen, dacht Marit. Hij zou misschien een vriend kunnen worden. Gek genoeg had ze het gevoel dat ze hier zo iemand nodig zou hebben al zou ze niet kunnen zeggen waarom ze zo dacht. De mensen waren over het algemeen aardig en behulpzaam.

Een van de winkelbediendes bracht haar boodschappen naar de auto en wees haar hoe ze terug naar Mevagissye moest rijden. Het was hier mooi. Veel groen, prachtig aangelegde tuinen en alleen bij de grotere plaatsen vierbaanswegen. Op de route naar de Fairiesgarden kwam ze weer op een holle weg terecht. Aan beide zijden waren hoge heggen en ze kon zich voorstellen dat, als het eenmaal hoogzomer was en alles volop in blad stond, je dan het gevoel moest krijgen dat je af en toe een donkere tunnel inreed.

Ze stapte even later uit om het ijzeren hek naar de Fairiesgarden te openen. Aan de toegangsweg naar het huis werd niet veel aan onderhoud gedaan dacht ze. Er zou van alles tussen de bomen en struiken verstopt kunnen zitten. Waar dacht ze aan? Dit was een feeëntuin, was er iets onschuldigers denkbaar? Als het hier nou heksentuin heette, of spookhuis. Ze riep haar fantasie een en halt toe en parkeerde de auto naast het huis.

De deur werd geopend door een jong meisje met steil blond haar en zwart omrande ogen. „Jij moet Isabel zijn," zei Marit haar hand uitstekend.

„Waarom ben jij boodschappen gaan halen?" vroeg het meisje haar hand negerend.

„Opdracht van Joanna," zei Marit luchtig.

„Heb je iemand gezien?" vroeg Isabel tot Marits verbazing.

„O zeker. Massa's mensen, vooral bij de supermarkt." Ze besloot op hetzelfde moment niets over haar ontmoeting met Philip te vertellen. Ze had het idee dat Joanna dat niet prettig zou vinden en ook dat deze Isabel alles onmiddellijk zou doorvertellen.

Ze begon de boodschappen op te ruimen waarbij Isabel zei waar alles moest en commentaar leverde als ze iets anders had gekocht dan de gewoonte was.

Marit ging er niet op in. Als Joanna zulke hoge eisen stelde moest ze zelf maar gaan, vond ze.

Later kwam Joanna in de keuken en begon met de voorbereidingen voor het avondeten. Ook zij had iets te zeggen over enkele boodschappen die Marit had meegebracht. „Dit merk saus gebruik ik nooit. Hoe kom je erbij varkensvlees te kopen? Dat werd hier niet gegeten. Enfin, misschien vindt Michael het lekker en mogelijk jij zelf. Zij en Emma deden het wel zonder vlees vandaag. „Er is maar een oplossing, je doet voortaan zelf de boodschappen," zei Marit uiterlijk kalm. „Moeilijk is het niet, iedereen is behulpzaam. Ik kan de eerste keer meegaan."

„En Emma dan?" vroeg Joanna op een toon of ze had voorgesteld een ballonvaart te maken.

„Emma kan meegaan."

„O nee. Daar kan geen sprake van zijn. Heb je niet gehoord dat er pas twee meisje zijn ontvoerd en vermoord teruggevonden?"

„Dat heb ik gehoord. Maar zo kun je niet leven. Ze hebben de dader trouwens."

„Weet jij hoeveel anderen hij op een idee heeft gebracht."

Marit ging er niet op in. Ze verliet de keuken om de tafel te dekken. Joanna was echt gestoord en Emma was de dupe. Ze moest het kind eigenlijk tegen haar moeder in bescherming nemen. Maar zoiets kon ze niet hardop zeggen.

Het eten was overigens prima klaargemaakt. Marit dacht bij zichzelf dat Joanna die taak gerust op zich kon nemen. Zijzelf was niet zo'n kookster. Toen ze een opmerking in die richting maakte zei Joanna: „Alles is te leren. Zo druk zul je 't hier niet hebben. Isabel is hier ook tweemaal per week. Zelf heb ik vaak de energie niet om in de keuken te gaan staan." Marit keek haar even aan. Haar bleke gezichtje met de grote blauwe ogen straalde inderdaad niet veel spirit uit. Maar dat vastberaden trekje bij haar mond vertelde ook nog iets anders.

Emma at keurig haar bordje leeg. Toch had Marit liever gezien dat het kind eens uit de band sprong. Natuurlijk was zo'n welopgevoed kind wel gemakkelijk maar toch ook een beetje onnatuurlijk. Terwijl Marit de tafel afruimde bracht Joanna haar dochter naar bed.

„Je kunt nu verder doen waar je zin in hebt," zei ze tot Marit. Deze vroeg of ze ook Nederland op de televisie kon krijgen. „Is dat belangrijk?" vroeg Joanna. „Je woont nu hier."

„Ik wil wel een beetje op de hoogte blijven," antwoordde Marit geprikkeld.

„Nu je zult het aan Michael moeten vragen. Vanavond komt hij niet thuis zo je weet. Maar we hebben hier ook prima programma's. En het is goed voor je Engels."

Had ze dat nodig? vroeg Marit zich af. Ze ging er echter niet op in. Ze was er zo langzamerhand van overtuigd dat Joanna ervan uitging dat zijzelf alles beter wist dan wie ook.

Eenmaal op haar kamer staarde ze even uit het raam. Het daglicht werd al vager en de tuin vertoonde donkere hoeken. Eigenlijk vond ze het geen prettig idee dat Michael niet thuis was.

Dat was in feite onzin want dat was juist de reden waarom ze hier was. Om zijn vrouw gezelschap te houden. Hoewel Marit de indruk kreeg dat dit laatste meer zijn idee was dan dat van zijn vrouw het hiermee eens was.

Joanna was gewoon het liefst alleen met haar dochter.

Even later zette ze de televisie aan. Ze had op haar kamer de mogelijkheid om thee en koffie te zetten dus ze hoefde niet naar beneden. Het was doodstil in huis. Als ze hier eenmaal gewend was ging ze toch niet elke avond op haar kamer doorbrengen. Ze kon Philip vragen naar de uitgaansmogelijkheden.

Of zou hij dat als een uitnodiging opvatten? Even later schoof ze de gordijnen dicht. Er brandde slechts een buitenlantaarn en daardoor leek alles nog donkerder.

Ze besloot haar moeder te bellen. Inge was heel blij haar te horen. Marit hield alles een beetje vaag, vertelde haar moeder niet dat het huis erg afgelegen lag en dat de vrouw des huizes een tikje vreemd leek. Haar moeder zou er onmiddellijk op aandringen dat ze naar huis kwam en dat ze een gezellige levendige baan in de stad zocht. Na het telefoontje zette ze de televisie aan. Er begon juist een thriller, daar waren de Engelsen goed in. Toch was het anders als ze op haar vertrouwde flat naar zo'n programma keek. Er was daar altijd wel iets te horen van een van de andere bewoners. Toch bleef ze kijken, hoewel de huiveringwekkende scènes ruimschoots aanwezig waren. Krakende deuren, donkere trappen, licht dat plotseling uitviel, onverwacht opduikende personen. Toen de film was afgelopen keek ze nog naar het Engelse nieuws en besloot toen naar bed te gaan. De badkamer was van alle gemakken voorzien. En het bed was van uitstekende kwaliteit. Toch duurde het even voor ze rustig lag. Ze stond op om het slot op de deur te controleren, keek door het raam en meende in de tuin een dansend lichtje te zien.

Even later was het echter verdwenen, ze moest het zich verbeeld hebben. Of misschien was het James die daar rondliep. Uiteindelijk viel ze toch in slaap.

HOOFDSTUK 5

Enkele uren later schrok ze wakker en lag even doodstil. Ze had iets gehoord. Een deur die dichtsloeg. Nou en? Een teken dat ze hier niet helemaal alleen was. Toch gleed ze haar bed uit en gluurde door een kier van de gordijnen. Daar was het lichtje weer. Liep er iemand met een zaklantaarn door de tuin? Misschien had Joanna nog bezoek gehad. De persoon liep in elk geval weg van het huis. Wat mankeerde haar toch? Ze was nooit een angsthaas geweest. Als ze hier samen was met Jasmin zouden ze er om lachen. Maar ze was hier alleen en ze had niet het idee dat ze veel aan Joanna zou hebben als er iets gebeurde. Maar wat kon er gebeuren? Michael liet toch rustig zijn vrouw en dochter achter. Ze zuchtte. Het was een feit, heel deze omgeving werkte op haar zenuwen. Het zou vast beter gaan als ze hier wat langer was. Ze ging weer liggen en hoorde op hetzelfde moment schuifelende voetstappen. Vlak bij haar deur. Ze schoot overeind en greep blindelings naar haar mobiel. Maar wie zou ze kunnen bellen. Philip had gezegd: „als er problemen zijn kun je mij bellen." Ze had niet eens zijn nummer. Trouwens het zou vast zijn bedoeling niet zijn geweest dat ze hem midden in de nacht belde omdat ze vreemde geluiden hoorde. Plotseling werd er aan haar deurknop gerammeld. Ze ging op de rand van het bed zitten, keek om zich heen naar een wapen. Er was iemand die haar kamer binnen wilde. En het was geen spook waar dit land er zoveel van leek te hebben. Een spook rammelde met kettingen als ze bepaalde verhalen moest geloven. Maar een afgesloten deur was voor hen geen belemmering. Daar kwamen ze immers gewoon door heen. Ze stond op en legde haar oor tegen de deur. Het leek of iemand in zichzelf mompelde. Ze greep haar schoen, het enige wapen wat ze in het donker kon vinden en trok met een ruk de deur open, knipte gelijk het licht aan in haar kamer. De oude man hield de handen voor het gezicht.

„Wat doe je hier?" zei ze boos.

Stanley keek tussen zijn vingers door, deed plotseling een uitval naar de schoen, maar ze hield deze stevig vast. „Wil je

mij aanvallen?" vroeg hij. „Je bent echt een heks, is het niet?"
„En wat ben jij dan wel? Wat wil je?"
„Helemaal niks, ik was op zoek naar mijn kamer."

Stanley keek haar een beetje hulpeloos aan en opeens verdween haar ergernis. Hij was een oude man die het allemaal
niet meer zo goed wist. „Uw kamer is een verdieping lager,"
zei ze vriendelijk.
„Lager? Dat was gisteren nog niet zo."
„Ik zal u even brengen." Ze trok haar duster aan en liep met
hem mee. Nu het licht in het trappenhuis brandde leek het
nogal overdreven dat ze zo bang was geweest. Ze wees
Stanley de deur van zijn kamer, toen de deur er tegenover
werd geopend. Joanna stond op de drempel.
„Waarom lopen jullie midden in de nacht door het huis?"
„Hij was op zoek naar zijn kamer," zei Marit, die niet goed
wist hoe ze de oude heer moest noemen.
„Oom Stanley, waarom ligt u niet in bed? Dat doet hij anders
nooit," zei ze tot Marit op een toon of het haar schuld was.
„Ik werd wakker omdat hij aan mijn kamerdeur rammelde,"
zei Marit.
„Nou, oom Stanley, als u zo gaat doen zal ik u moeten opsluiten," zei Joanna streng. De oude man liep zijn kamer binnen.
„Heks," mompelde hij voor hij de deur achter zich sloot. Nou
ik ben in elk geval niet de enige die hij zo noemt, dacht Marit.
„Je moet niet op hem reageren," zei Joanna nu.
„Hij wist niet meer waar zijn kamer was," legde Marit voor de
tweede keer uit.
„Nogal vreemd," mompelde Joanna, waarna ze zonder nog
iets te zeggen haar kamer binnenging en de deur nadrukkelijk achter zich sloot. Een beetje nijdig klom Marit naar de
volgende verdieping, draaide zorgvuldig haar deur op slot.
Zou Joanna niet op de hoogte zijn van het feit dat mensen die
begonnen te dementeren soms de weg kwijt waren en het
verschil tussen dag en nacht niet meer wisten? Ze zag er in
elk geval niet uit of ze van veel dingen op de hoogte was die
niet direct met haarzelf te maken hadden.
Lieve help, wat zag Michael in haar? Maar mogelijk was ze

enkele jaren terug heel anders. Ach, wat wist je tenslotte van het leven van andere mensen. Zelfs al zat je er met je neus bovenop.

Het zou vast niet voor het laatst zijn dat oom Stanley zoiets deed. Ze zou dan niet meer zo bang zijn, maar prettig vond ze het niet. Het idee dat Joanna de oude man zou opsluiten vond ze echter ook heel vervelend. O, verdorie, waarom was ze niet in een normaal gezin terecht gekomen?

De volgende morgen verscheen Stanley gewoon aan het ontbijt. „Heb je goed geslapen?" vroeg Marit, intussen het ontbijt klaarmakend voor Joanna en Emma.

„Prima. Van de avond tot de morgen."

Marit glimlachte. Gelukkig maar dat hij zijn eigen onrust weer vergat.

Joanna zat rechtop in bed met Emma naast zich. „Ik wil beneden eten, met haar," zei het kind onverwacht.

„Daar kan geen sprake van zijn," reageerde Joanna kalm.

„Misschien kun je eens overwegen om in elk geval in het weekend beneden te eten. Als je man thuis is," stelde Marit aarzelend voor.

„Ik moet vanmorgen ergens heen. Jij hebt de zorg voor Emma," zei Joanna, zonder op Marits opmerking in te gaan.

Durf je dat wel aan? had Marit bijna gezegd. Maar ze zweeg. Ze kon haar beter niet teveel tegen zich in het harnas jagen. Ze zou haar zomaar kunnen wegsturen en ze wilde niet met hangende pootjes thuiskomen. Daarnaast vond ze deze eigenaardige familie toch wel fascinerend.

Marit vond het leuk eindelijk eens met het kind alleen te zijn. Emma bleek veel fantasie te hebben in haar spel. En ze vond het heerlijk om voorgelezen te worden. Ze bleven eerst een tijdje binnen, maar toen het weer steeds beter werd, besloot Marit de tuin in te gaan.

Ze wist natuurlijk dat Joanna daar tegen was, maar ze besloot dit gemakshalve te vergeten.

Ze had deze keer niets gezegd over binnen blijven, dacht waarschijnlijk dat Marit van alle regels op de hoogte was, in verband met Emma. En dat was natuurlijk ook zo. Maar de zon scheen en de tuin zag er fleurig uit met alle voorjaarsbloemen. Niemand kon van haar verlangen dat ze zich met dergelijk weer binnen opsloot. „We gaan in de tuin wandelen," zei ze tot Emma.

„Echt waar?" Ze begon te stralen, maar vervolgens betrok haar gezicht weer. „Dat vindt mamma niet goed."

„Vast wel, nu het zulk mooi weer is. Ik ben er toch bij?" Emma had verder geen aanmoediging nodig. Het was inderdaad heerlijk in de tuin. Er was echter niets waarmee Emma zich kon vermaken. Geen speeltoestel en zelfs geen zandbak. Keurig langs de paadjes lopen was nu niet precies datgene wat een kind van vier jaar leuk vond. Ze kwamen bij de vijver en ze hield het kind stevig bij de hand. „Ik val er heus niet in," zei Emma. „Ik mag hier nooit komen van mamma."

„Laten we dan maar naar de andere kant gaan," stelde Marit voor. Ze voelde zich toch een beetje schuldig. Ze kwamen nu in het wat verwilderde gedeelte. Maar ze durfde het toch niet aan om verstoppertje te spelen. Het kind was hier niet bekend, ze zou te ver kunnen afdwalen. Ze besloot terug te gaan toen ze ineens een beweging meende te zien. Daar, bijna verborgen tussen de struiken, stond een bankje en op die bank zat Joanna in een innige omhelzing met James. Marit wist niet hoe snel ze weg moest komen. Ze was gelukkig niet gezien. Zo, zo, dus deze dame met het poppengezichtje leidde een dubbelleven. Terwijl ze terugliep, Emma huppelde nu voor haar uit, maakte Marit zich kwaad. Wat zag ze in die vent terwijl ze Michael had? Ze had natuurlijk vrij spel, haar man was veel weg. Terwijl ze haar, Marit, zo'n beetje in huis wilde opsluiten, samen met haar dochter, ging ze er zelf vandoor voor een avontuurtje. James komt hier voor zijn rust had ze gezegd. Nu blijkbaar ook voor wat frivole afleiding. Ze had zomaar het gevoel dat het voor die James niet veel meer was. Wees voorzichtig met Joanna had hij gezegd. Michaels vrouw zocht dus op deze manier afleiding. Ze had zich al afgevraagd hoe ze haar dagen doorbracht. Maar het was wel gemakkelijk, je minnaar in je eigen achtertuin.

Misschien was Philip Harris ook wel een vriendje van haar. Hij had haar gezegd dat ze beter weg kon blijven uit het achterste gedeelte van de tuin. „Dan zie je mogelijk dingen die niet voor jouw ogen bestemd zijn". Zou hij hier van weten? Waarom beschermde iedereen Joanna. Alleen omdat ze er hulpeloos uitzag? Nou, dat was ze dus niet. Ze zag er in elk geval geen bezwaar in haar man te bedriegen.

„Zullen we wat bloemen plukken en in een vaasje op je kamer zetten?" vroeg ze Emma.

Het kind was direct enthousiast. Marit maakte een boeketje van wat voorjaarsbloemen en enkele takjes van bloeiende struiken. Emma vond een geschikt vaasje en zette het stukje later op haar kamer. Marit begon aan een puzzel met het kind, maar haar gedachten dwaalden voortdurend af. Ze zou niet tegen Joanna zeggen dat ze haar had gezien. Ze zou dat achter de hand houden als ze weer eens enkele onredelijke eisen stelde.

Later nam ze Emma weer mee naar beneden. Er stond een piano en ze keek er verlangend naar. Thuis was ook een piano. Ze was geen ster, maar ze had wel enkele jaren les gehad en vond het heerlijk om muziek te maken. „Zal ik jou leren spelen?" vroeg ze Emma.

Het kind klom al op het krukje. Dat was erg prettig, dit kind was overal voor in en snel enthousiast.

Ze hadden al gegeten en Stanley was er ook toen Joanna binnenkwam. Ze had een kleur van het haasten, het rossige haar zat een beetje warrig.

„Je kunt niet te laat aan tafel komen," zei Stanley streng.

Ze streek haar haren achter de oren en even zag ze eruit als een betrapt schoolmeisje.

„Ik heb geen honger," zei ze en wendde zich toen tot haar dochter. „En wat heb jij zoal gedaan?"

„Ik was in het bos met Marit," zei het kind enthousiast.

„In het bos? Bedoel je achter in de tuin? Ik wil niet dat je daar komt met haar," zei ze boos tot Marit.

„Het is niet goed voor haar altijd binnen te zijn. Maar ik zal voortaan wat dichter in de buurt blijven. Of misschien is er wel een speeltuin in een van de omliggende plaatsen. Ik vind dit bos zelf ook niet prettig."

„O nee? Waarom niet?"

Joanna ging erbij zitten en keek haar afwachtend aan. „Ach,

ik had het gevoel dat er mensen rondliepen die zich schuil hielden. Een beetje geheimzinnig is het daar wel."

Marit wist niet wat haar ertoe dreef dit te zeggen. Misschien wilde ze Joanna uit haar tent lokken. Zij met al haar regeltjes. Voor haarzelf golden zeker geen regels.

„Ik hoop dat je er voortaan vandaan blijft," zei Joanna koel.

Zodat jij je gang kunt gaan als ik op Emma pas, dacht Marit.

„Vanavond komt pappa thuis. Je mag opblijven," zei Joanna nu.

„Ben jij er dan ook? Ken je mijn pappa wel?" vroeg Emma aan Marit.

„Ik ken hem wel, maar ik ben op mijn kamer," antwoordde Marit.

Ze besloot die avond Jasmin te bellen. Van een mail was nog steeds niets gekomen. Er stond een computer in Michaels werkkamer, maar ze wilde hem eerst vragen of ze deze mocht gebruiken.

Haar vriendin nam heel snel op. Ze klonk een beetje ademloos. „O, ben jij het?" zei ze duidelijk teleurgesteld.

„Ook blij je te horen," reageerde Marit.

„Natuurlijk ben ik blij je te horen. Ik ben zo benieuwd hoe het met je gaat."

„Met mij gaat het wel goed. Maar jij klinkt een beetje... Hoe is het met de volmaakte Nick?"

„Wel goed." Het klonk een beetje mat en Marit vroeg: „Verbeeld ik het mij, of klink je minder enthousiast dan eerst?"

„Ik ben nog steeds heel erg verliefd en hij ook. Dat is het punt niet. Maar die vrouw en zijn zoon laten hem niet los."

„Weten ze van jou?"

„Hij heeft er wel iets van verteld."

Marit zweeg een moment. Ze voelde dat Jasmin gedeprimeerd was, ze kende haar te goed. Jasmin was haar beste vriendin en ze hadden elkaar altijd gesteund.

„Misschien kom ik binnenkort wel bij je langs," zei haar vriendin toen onverwacht.

„Dat lijkt me niet verstandig. Er is hier niets te doen. Je kunt niet uitgaan en dergelijke."

„Ik hoef niet uit te gaan, ik wil nadenken."

Dit verbaasde Marit nogal. Bij haar weten had Jasmin nooit langer dan een half uur nagedacht. „Ik zal je wel niet kunnen tegenhouden," zei ze niet al te toeschietelijk.

„Maar je hebt het liever niet," begreep Jasmin.

„Nu nog niet."

Wat later legde Marit met een onbevredigd gevoel de hoorn neer. Er was iets met Jasmin. Aan de andere kant, haar vriendin kon even snel in de put zitten als ze er weer uitklom. Morgen kon alles anders zijn.

Jasmin bleef even voor zich uitkijken. Hoe kon ze Marit zeggen dat haar relatie met Nick nu al op de klippen dreigde te lopen? Niet na alles wat er gebeurd was. Natuurlijk waren Nick en zij nog steeds verliefd. Maar het leek wel steeds moeilijker te worden iets af te spreken. Er was altijd wel iets met zijn vrouw of met zijn zoon. Het was ook niet bepaald wat ze gezocht had, verliefd worden op een getrouwde man.

Nick was op een dag samen met zijn vrouw in de boetiek verschenen. Het was haar opgevallen dat hij echt belangstelling toonde voor alles wat zijn vrouw uitzocht, maar ook dat hij het op een gegeven moment flink zat was. Zijn vrouw had zo'n beetje alles gepast wat in haar maat voorradig was. En nog had ze geen keus kunnen maken Ze had een kop koffie voor Nick gemaakt en toen hij haar aankeek was haar hart op hol geslagen. Zo was het bij hem ook gegaan, had hij later verteld. Kort daarop was zijn vrouw een weekend weg met haar zoon, naar haar ouders die in Groningen woonden. Nick was thuis gebleven en ze hadden dat weekend samen doorgebracht. Wat eerst een vonkje was werd een laaiend vuur. Maar felle vuren doven het snelst, zegt men. Ze had het gevoel dat Nick alle problemen die waren ontstaan doordat hij een relatie met haar begon, eigenlijk niet voorzien had. Hij wilde haar blijven ontmoeten, dat zeker, maar hij wilde niet scheiden. En op deze basis wilde Jasmin niet verder. Nick had haar een keer voorgesteld aan zijn zoon en deze was bijzonder vijandig geweest. Hoewel Nick had gezegd dat ze een collega was en niet meer.

Ze was later erg boos geworden. „Waarom doe je of het niets voorstelt tussen ons," had ze hem toegebeten.

„Ach, wat weet zo'n kind nou van verliefdheid? Ik zou hem maar verontrusten."

„Volgens mij had hij het heel goed door."

„Denk je? Zou hij er met Carry over praten?" Hij was duidelijk ongerust.

„Dat kan best zijn. Ik dacht dat zij het wist."

„Niet zo exact."

„Niet zo exact. Hoe kun je maar half vertellen dat je een verhouding hebt?" was ze uitgevallen.

„Zo heb ik het niet genoemd." Hij had zijn hand op de hare gelegd en zijn stem klonk smekend toen hij zei: „Wees niet zo ongeduldig, Jasmin. Het is voor jou gemakkelijker. Maar ik laat heel wat achter."

„Je zei dat je huwelijk al heel lang niets meer voorstelde," herinnerde ze hem.

„Ik heb ook een zoon. Daar ben ik ook verantwoordelijk voor."

Ze had er verder over gezwegen maar sindsdien had ze slechts enkele keren met hem koffie gedronken. En ze hadden alle precaire gespreksonderwerpen vermeden.

Jasmin zuchtte diep. Het was duidelijk dat deze relatie gedoemd was te mislukken. Al wilde ze nog niet opgeven. Maar ze begon steeds meer te vermoeden dat Nick zijn leven spannender wilde maken door middel van een avontuurtje. Dat het totaal niet in zijn bedoeling lag zijn vrouw en kind in de steek te laten. En misschien was dat wel in hem te prijzen, maar zij was de dupe. Ze wist heus wel dat het verstandig zou zijn de verhouding te verbreken. Maar dan wilde ze hier niet langer blijven. Ze had gehoopt dat Marit enthousiast zou reageren als ze voorstelde ook naar Engeland te komen. Maar haar vriendin had de boot duidelijk afgehouden. Ze begreep zelf ook wel dat ze daar niet zomaar kon aankomen als logee. Maar ze hadden immers enkele vakantiehuisjes? Als ze in een daarvan tijdelijk kon wonen, kon ze van daaruit misschien werk zoeken. Het zou voor Marit vast gezelliger zijn als zij ook in de buurt was. Jasmin begon langzamerhand enig perspectief te zien. Ze zou echter deze keer open kaart spelen en gelijk zeggen wie ze was. Als er bij hen geen mogelijkheid was om te logeren, wisten zij mogelijk een ander adres of goedkoop pension. Het zou natuurlijk moeilijk zijn om Nick achter te laten. Maar zoals het nu was leek er voor hen geen toekomst te zijn. Jasmin raapte haar gebruikelijke optimisme bij elkaar en onderzocht de mogelijkheden.

Het was enkele weken later en begin juni. Marit was al aardig gewend geraakt aan haar leven in Engeland. Zelfs als Stanley midden in de nacht door de gang slofte schoot ze niet meer rechtop in bed. Maar ze werd er wel altijd wakker van. Tijdens het boodschappen doen had ze Philip enkele malen ontmoet. Ze hadden een soort afspraak om dan iets te gaan drinken. Ze hoopte dat hij niet door had dat ze hem bijzonder graag mocht. Misschien was ze zelfs verliefd op hem. Ze had Joanna inmiddels zover gekregen dat Emma bij het ontbijt al beneden was, zeer tot genoegen van haar vader. Het kind was dol op hem en dat was wederzijds. Joanna was nog steeds veel op haar kamer, maar Marit wist dat ze James regelmatig ontmoette. Het maakte haar kwaad. Michael was zo'n vriendelijk, integer persoon. Als hij er achter kwam zou zijn wereld instorten. Hoewel ze zich steeds meer begon af te vragen of dat huwelijk wel veel voorstelde. Ze deden totaal niets samen die twee.
Vandaag was het regenachtig. Emma was verkouden dus het was ten strengste verboden met haar naar buiten te gaan. Marit vroeg zich af of ze zelf niet enkele boodschappen kon verzinnen, zodat ze naar Fowey kon gaan. Ze verveelde zich. Ze kon natuurlijk met Joanna overleggen of ze een tijdje weg kon. Als die het echter in haar hoofd had om een bezoekje aan James te brengen kon ze het wel vergeten. Maar Joanna, die naast de bank zat waarop Emma lag, stemde direct toe. Onverwacht meegaand eigenlijk. „Heb jij nog boodschappen?" vroeg Marit plichtsgetrouw.
„Niet dat ik weet. Maak er maar een middagje uit van. Je

hoeft niet vroeg terug te zijn, maar ik wil wel graag weten hoe laat ik je ongeveer kan verwachten."

„Rond vijf uur," aarzelde Marit.

„Je mag ook in de stad blijven eten. Ik zal je trakteren." Ze overhandigde Marit enkele bankbiljetten die deze in dank aanvaardde. Ze had niet de behoefte te protesteren, maar vreemd vond ze het wel. Waarom zou Joanna haar ineens weg willen hebben, want daar leek het op. Ze zou toch niet naar James gaan en Emma alleen achterlaten? Toen ze het huis uitliep en nog even omkeek zag ze dat Joanna voor het raam stond te bellen. Misschien belde ze James dat de kust veilig was. Op zo'n bankje in het bos of in dat niet bepaald geriefelijke vakantiehuisje was natuurlijk ook niet alles. Maar oom Stanley was er wel. Enfin, het waren haar zaken niet.

Stanley kwam juist uit het achterste gedeelte van de tuin. Hij liep een beetje onzeker, vooral als hij snel wilde zijn, zoals nu. Zijn grijze haar stond dwaas rechtop, zijn ogen keken verschrikt. Hij kwam dus wel achter in de tuin. Hoe zou Joanna dat willen tegenhouden? Dan zou ze hem echt moeten opsluiten. „Ik heb een heks gezien," zei hij, licht hijgend.

Zie je wel, daar had je het al. Hoewel ze James met de beste wil van de wereld niet met een heks zou willen vergelijken. „Hoe zag ze eruit?" vroeg ze toch maar.

„Ze had veel wild haar en ze rende weg toen ze mij zag."

„Nou, oom Stanley, dan is ze in elk geval bang voor u," glimlachte ze. Hij mompelde nog wat, keek schichtig achterom en slofte verder.

Marit opende de deur van haar auto en keek om zich heen. De tuin werd steeds mooier het zou niet lang meer duren of alle rozen stonden volop in bloei. Ze begreep niet dat er zo weinig gebruik van de tuin werd gemaakt.

Misschien had James wel meerdere vriendinnetjes, bedacht Marit toen ineens. Oom Stanley was niet helemaal gek. Je kon James toch moeilijk zien met een bos wild haar. Ach, wat maakte het haar ook uit. In elk geval een geluk dat ze indertijd toch had besloten met haar auto te gaan. Anders zou ze elke keer moeten vragen of ze Joanna's wagentje mocht lenen, hoewel deze meestal afgedekt in de garage stond.

Het Engelse links rijden had ze al aardig onder de knie. Ze wist alleen niet of het gemakkelijk zou gaan als het stuur aan de andere kant zat. Dan zou ze weer heel erg moeten wennen.

Terwijl ze voorzichtig keerde, meende ze ineens een figuur tussen de bomen te zien. Ze zag het slechts uit een ooghoek, maar het was onmiskenbaar een vrouwenfiguur. Slechts een flits van een spijkerbroek, iets kleurigs en weg was het. Dus had oom Stanley wel degelijk iets gezien. Een vriendin van Joanna? Hoewel ze hier nooit andere mensen zag dan degenen die er woonden.

Ze draaide het hek uit, toen schoot haar te binnen dat ze Philip zou kunnen bellen. Ze wist nu zijn nummer, ze zou kunnen proberen hem te bereiken via haar mobiel. Waarom eigenlijk niet? Ze kon hem inmiddels toch wel een vriend noemen. Ze tikte zijn nummer in en tot haar opluchting werd er direct opgenomen. „Philip, met Marit."

„Dat is een verrassing. Althans als er geen problemen zijn."

„Dat niet. Ik heb een middag vrij gekregen van Joanna. Emma is niet helemaal fit en ze vertrouwde haar toch niet aan mij toe."

„Wilde je van mij een tip voor een middag vertier?" vroeg hij plagend. Ze gaf niet direct antwoord. Ze wilde het liefst iets met hem samen doen, maar dat kon ze moeilijk zeggen.

„Of wilde je vragen of ik met je meega?"

Hij weet het, dacht ze. Hij weet dat ik verliefd op hem ben.

„Misschien weet jij een leuk kustplaatsje," zei ze dapper. „Als jij me zegt hoe ik moet rijden?"

„Ik zie je wel in Fowey. Over een half uur bij ons terras. Goed?"

Ze reed weg. Ons terras, het had zo intiem geklonken. Ze had hem opgebeld. Stel je voor dat hij aan het werk was geweest op het vliegveld. Ze wist helemaal niets van zijn werktijden. Ze had geluk gehad, misschien was dat wel een goed teken. Een goed teken, waarvan? Ze moest niet verder denken…
Maar wat was er verkeerd aan? Philip was een vrij man voor

zover zij wist. Hoewel ze het hem nooit had gevraagd. Hij leek haar aan de andere kant geen type dat alleen door het leven ging. Hij was aantrekkelijk en in uniform zou hij nog knapper zijn. Daar vielen sommige vrouwen op. En dan al die stewardessen. O, verdorie, ze ging alleen maar een stadje bekijken met een aardige man.

Philip zat inderdaad al te wachten. „Kom eerst iets drinken. Ik stel voor naar Mevagissey te gaan. Het ligt hier niet ver vandaan en is heel sfeervol."

„Sorry, ik belde je spontaan op. Ik dacht er niet eens aan dat je aan het werk zou kunnen zijn."

„Ik houd wel van spontaniteit. Ik heb vannacht gewerkt, dus je bofte. En ik ook." Zijn donkere ogen lachten. Ze kreeg een kleur en dronk snel een slokje van haar thee, waardoor ze het nog warmer kreeg.

„Hoe is het op de Fairiesgarden?" vroeg hij.

Ze haalde de schouders op. „Weinig spectaculair. Zoals ik al zei, Emma is een beetje ziek. Michael is aan het werk, Stanley loopt in zichzelf te mompelen over heksen en Joanna beweegt zich haast geruisloos door het huis. Saai dus."

Hij keek haar opmerkzaam aan. „Wil je daar eigenlijk wel blijven?"

„Nog wel een tijdje," zei ze schouderophalend. „Ik zal zelf wat spanning in mijn leven moeten brengen. Dat kan iemand anders niet doen. Ik leidde in Nederland ook niet zo'n enerverend bestaan." Hoewel Jasmin altijd wel met iets bijzonders op de proppen kwam. Die zou het hier niet lang uithouden, wist ze ineens zeker.

„Zou Joanna het goed vinden als ik mijn moeder te logeren vraag?" schoot haar dan te binnen.

Philip aarzelde. „Joanna is erg op zichzelf. Ze houdt niet van vreemden."

„Misschien zou mijn moeder in een van die huisjes kunnen verblijven?"

„Die zijn niet altijd vrij. Kom, laten we gaan."

Eenmaal in de auto zei ze eerst niets. Was Philip het eens met Joanna's vreemde gedrag? „Het huis heeft genoeg kamers over," zei ze weer. „Ik ga het haar toch vragen."

66

„Vraag het Michael," raadde hij.

„Ik heb het idee dat hij weinig heeft in te brengen."

„Dat is meer ongeïnteresseerdheid," reageerde Philip kalm.

„Waarom is hij met haar getrouwd? Ik vind het niet bepaald een liefdevolle relatie."

„Ik stel me een huwelijk ook anders voor. Ik denk dat Michael uit medelijden en gemakzucht bij haar blijft. Want zonder hem is ze stuurloos. Ik ben al blij dat ze de laatste tijd in wat rustiger vaarwater is gekomen."

„Is ze eigenlijk familie van je?"

„Ze is mijn nichtje. Ik voel me een beetje verantwoordelijk voor haar. Ze is in sommige opzichten een hulpeloos kind."

„Maar intussen bedriegt ze haar man wel met die James," flapte Marit eruit.

Hij fronste. „Het kon niet uitblijven dat je daar achter kwam. We waren het er immers over eens dat dit huwelijk weinig voorstelt. Joanna heeft liefde nodig. Ze was altijd al een onzeker kind. Het ongeluk van haar ouders bracht haar nog meer uit haar evenwicht. Ze was toen zelf ook zwaargewond. Een bekkenbreuk, een zware hersenschudding. Ze was toen een tijdje helemaal de kluts kwijt. Ze is een tijdje op een psychiatrische afdeling opgenomen geweest. Ze krabbelde er weer bovenop en werd stewardess. Ze heeft in Nederland een man ontmoet die de vader is van Emma. Althans zo vertelde ze het mij.

In elk geval, ze kwam Michael tegen toen het kind ongeveer een jaar oud was. Ze erfde de Fairiesgarden en trouwde met Michael. Veel te snel volgens mij.

„Ze zijn dus nog maar drie jaar getrouwd," verbaasde Marit zich.

„Klopt. Als Michael haar in de steek zou laten, zou ze helemaal in de vernieling raken."

„Moet Michael zijn leven opofferen voor zo'n neurotisch type, dat hem bovendien bedriegt met een ander? Keur jij dat laatste soms goed?"

Ze zag dat hij geïrriteerd was. „Ik keur het niet goed. Maar ik ben van mening dat wij er niets mee te maken hebben."

Marit zweeg. Ze wilde hem niet boos maken. Hij had blijk-

baar een zwak voor zijn nichtje. Maar als hij zich echt verantwoordelijk voelde zou hij Joanna moeten waarschuwen
dat ze op deze manier haar huwelijk in gevaar bracht.

„Als Michael erachter komt," begon ze aarzelend.

„Ik ga er niet vanuit dat jij hem inlicht," zei hij kortaf. „Wil je
naar Mevagissey, of wil je over Joanna blijven praten?
Hollanders zijn altijd zo nieuwsgierig."

„Zijn we er bijna?" vroeg ze, ook kwaad wordend.

„Over tien minuten."

Ze zei verder niets meer. Hij nam Joanna duidelijk in
bescherming en het leek of hij van haar hetzelfde verwachtte. Ze wist echter zeker dat ze dat niet zou volhouden.

Philip parkeerde de auto vlakbij de oude haven. Het water
stond laag, enkele scheepjes lagen op het droge. De haven
was ommuurd, de grote stenen waren oud en verweerd. Via
een rotsachtig pad kon je op een drooggevallen stukje strand
komen. De rotsen waren hoog en rezen dreigend achter hen
op. Marit keek om zich heen. Philip was wat verder gelopen,
van de ene steen op de andere stappend. Marit bleef achter
en ging even zitten op een rotsblok. De stenen zagen er
gevaarlijk glad uit. Stel dat het water onverwacht snel
opkwam. Dan zou je geen kant uit kunnen. Het was overigens wel een apart plekje, het deed denken aan schepen van
vroeger met krakende masten en de kapitein met een steek
op en een lange mantel. „Waarom kom je niet?" klonk Philips
stem achter haar.

„Ik ben niet nieuwsgierig," zei ze pinnig. Toen stond ze op.
„Sorry, dat was kinderachtig. Maar hoeveel Nederlanders ken
jij eigenlijk?"

„Michael. En jou dus."

„En dat brengt je tot een oordeel over alle Nederlanders?"

Hij fronste. „Sorry, ik heb hier helemaal geen zin in. Het is
een feit dat de Engelsen, de Nederlanders nieuwsgierig vinden, zoals de Duitsers luidruchtig worden gevonden. Ga je nu
mee of niet?"

Hij strekte zijn hand uit en ze legde de hare erin. Even later
waren ze om de rots heen en lag de zee voor hen. Wat verder
op het water dobberden enkele vissersboten. Een zeiler deed

zijn best zijn boot in een rechte lijn te houden, maar er stond teveel wind.

„Mooi, vind je niet? Ik houd van deze bijna middeleeuwse sfeer. Het is aan deze kant ook zelden druk. Mensen willen toch graag wat vertier. Dat doet me eraan denken dat jij ook wat meer levendigheid zoekt. Dan is dit niet direct een goede keus," veronderstelde Philip. „We kunnen het stadje ingaan, of een grotere plaats opzoeken. Het is nog geen hoogseizoen, dan kan het hier bijzonder druk zijn."

„Ik wilde dit zelf," weerlegde ze.

„Je wist niet wat je te wachten stond."

„Ik vind het hier fascinerend."

„Mooi. We kunnen een tuin bezoeken. Of de Jamaica Inn. Hoewel de omgeving van Bodmin Moor erg naargeestig kan zijn. Met dit wat sombere weer lijkt me dat niet zo geschikt."

„Ik richt me naar jou. Ik zou om vijf uur thuis zijn."

Hij keek op zijn horloge. „Dan hebben we weinig tijd. Een andere keer dan maar." Toen ze terug liepen hield hij haar opnieuw bij de hand. Philip ging er dus van uit dat er een volgende keer zou komen. Hij nam hun kleine woordenwisseling niet al te zwaar op.

Ze namen een andere weg terug. Een weg met aan beide zijden hoge heggen. Het leek een groene tunnel waar ze doorheen reden. Het was bijzonder maar deze weg kostte hen veel tijd. Soms zat er een vrachtwagen voor hen en er kon niet veilig gepasseerd worden. „Ik kan je bij de Fairiesgarden afzetten en morgen je auto terugbrengen," stelde Philip voor.

„Dat is misschien verstandiger," zei ze op haar horloge kijkend. Ze hoopte maar dat Joanna hen niet zag thuiskomen. Philip stopte voor het hek. Toen hij haar aankeek vroeg hij: „Is dit voor herhaling vatbaar? Je hebt wel gemerkt dat ik geen type ben die het voortdurend met je eens zal zijn."

„Ik ook niet met jou," zei ze met een lachje.

Hij legde even zijn hand op de hare. „Dat houdt de zaak levendig, toch?"

Ze knikte alleen en stapte vlug uit de auto. „Ik bel je wel," zei hij nog.

Even keek ze de auto na toen liep ze het pad op. Ze vond Philip bijzonder aardig en meer dan dat. Alleen ergerde het haar dat hij Joanna zo de hand boven het hoofd hield.

Ineens stond ze stil omdat ze meende iets tussen de struiken te horen. Er was daar iets, een dier of een mens. Resoluut liep ze naar de berm en boog de struiken opzij. Ze keek recht in de bange ogen van oom Stanley.

„Wat doet u hier? Kom maar met me mee naar binnen," zei ze vriendelijk.

„Ik zag haar weer," fluisterde de oude man. „De heks. Ze trok een lelijk gezicht naar mij en rende toen weg."

„Het was dus een lelijke heks," ging Marit mee in zijn verhaal.

„Alle heksen zijn toch lelijk."

„Ik zou het niet weten." Ze regelde haar tempo naar het zijne en toen hoorden ze beiden de deur dichtslaan en zagen ze James naar buiten komen. Hij zag hen ook, leek even te aarzelen, maar kwam hen toch tegemoet. „Ik heb Joanna een poosje gezelschap gehouden," zei hij, toen hij bij hen stilstond. „Jij was hier de hele middag en ik werd naar buiten gestuurd," zei oom Stanley verontwaardigd.

„Hij wilde zelf naar buiten," zei de man tot Marit. Ze ging er niet op in. Ze wist dat oom Stanley de hele dag wat heen en weer liep. Het zou overigens best kunnen dat Joanna de deur op slot had gedraaid omdat ze niet gestoord wilde worden.

Ze wilde doorlopen toen James nog zei: „Zeg het maar niet tegen Michael. Hij wil niet dat ik contact heb met zijn vrouw."

„Dat kan ik me voorstellen," antwoordde Marit.

„Het is niet goed voor haar als ze steeds alleen is."

„Gelukkig dat ze jou dan heeft," zei Marit, terwijl ze doorliep.

70

Ze vond Joanna in de serre, haar dochter leunde tegen haar aan. „Is ze al wat opgeknapt?" vroeg Marit na de begroeting. „Niet echt. Ze heeft koorts. Je had niet de hele middag weg moeten blijven."

„Dat was toch afgesproken? Je had zelfs gezegd dat ik in de stad kon eten als ik dat wilde."

Joanna haalde de schouders op. „Je wist dat Emma ziek was. Ik kan dat niet aan alleen."

Je was niet alleen, dacht Marit. Maar ze kon zich wel voorstellen dat ze aan een man als James ook niet veel steun had. Ze legde haar hand op Emma's voorhoofd.

„Denk je dat ik de dokter moet bellen?" vroeg Joanna nerveus.

„Dat lijkt me niet direct nodig. Kinderen hebben toch vaker hoge koorts. We moeten haar in de gaten houden."

Gelukkig zou Michael vanavond thuiskomen, dacht Marit.

Ook Michael maakte zich niet direct ongerust. „Misschien een of andere kinderziekte. Je maakt je direct zo overstuur, Joanna."

„Ik begrijp dat jij dat niet doet," antwoordde zijn vrouw kil. Ze doelde nu waarschijnlijk op het feit dat Emma niet van hem was, dacht Marit. Michael zei niets, wilde er waarschijnlijk niet over praten waar zij bij was.

Ondanks haar belofte had Joanna niet gekookt. Marit reageerde een beetje geprikkeld. Ze kreeg soms echt het gevoel dat ze Joanna's bediende was.

„Je begrijpt toch wel dat ik Emma niet in de steek kon laten," zei Joanna klagelijk.

Marit zei niets, hoewel het op het puntje van haar tong lag om te zeggen: „Je had toch gezelschap, James was er immers?" Maar dat wilde ze niet voor Michael. Ze ging naar de keuken waar Michael haar even later kwam helpen. Hij was een aantrekkelijke man, dacht Marit. En voor de zoveelste keer vroeg ze zich af wat hij toch in Joanna zag. Ze moest wel enkele verborgen kwaliteiten hebben.

Oom Stanley verscheen ook in de keuken. Hij was onrustig,

het scheen Michael ook op te vallen. „Wat is er oom Stanley?" vroeg hij vriendelijk.

„Er is een heks in de tuin," zei de oude man, niet voor het eerst.

„Als je haar nog eens ziet, dan moet je mij roepen. Dan zal ik haar wegjagen."

„Ze rent uit zichzelf al hard weg."

„Dan kan het toch geen kwaad?" zei Michael geruststellend. Oom Stanley mompelde iets, maar overtuigd was hij niet.

„Het kan best zijn dat onze enige huurder af en toe vrouwenbezoek heeft," zei Michael. „In een van de huisjes woont James. Misschien heb je hem al gezien."

Marit knikte. Ze wilde er niet verder op doorgaan. Het kwam kennelijk niet in Michael op dat zijn vrouw een van de bezoeksters was.

Toen ze wat later de tafel ging dekken zat Joanna nog op dezelfde plaats. Emma sliep, ze had een hoogrode kleur.

„Ik wil toch een dokter bellen," zei ze tot Michael.

„Je krijgt nu met de avonddienst te maken. Een arts die je niet kent. Ik weet dat je dat heel vervelend vindt. Als je wilt, kan ik Roger bellen. Hem ken je goed. Joanna komt er al jaren," zei hij tot Marit.

„Ik kom er nooit meer," antwoordde zijn vrouw. „Hij heeft Emma misschien een keer gezien. Hij is chirurg," zei ze tot Marit.

„Hij is daarnaast natuurlijk ook arts," antwoordde die. Ze vroeg zich af waarom Joanna een persoonlijke arts nodig had. Misschien wilde ze graag meer kinderen. Mogelijk was ze daarom zo labiel en overdreven beschermend tegenover Emma. Omdat haar wens niet in vervulling ging. Maar in dat geval zou je toch eerder een gynaecoloog verwachten dan een chirurg. Misschien had deze dokter haar wel behandeld na dat ongeluk.

„Ik zal hem bellen," hakte Michael de knoop door. Marit had alles opgeruimd toen de arts kwam. Ze liet hem binnen en hij stelde zich voor. „Zo zo, een nieuw licht in de duisternis. Is Joanna weer eens over haar toeren?"

„Ze is ongerust over Emma," antwoordde Marit.

„Ze is altijd wel ergens ongerust over. Nou, laten we maar eens kijken. Zo Emma, meisje, wat doet er pijn? Je oortjes en je keel ook al?"

Hij onderzocht het kind, vond niets verontrustends. „Je maakt je weer veel te veel zorgen, Joanna. Dat is niet goed voor je en ook niet voor het kind."

„Krijgt ze medicijnen?" vroeg Joanna hoopvol.

„Dat is ook niet goed voor haar. Als over twee dagen de koorts nog hoog is, waarschuw dan je huisarts. Breng haar naar bed, dat lijkt me het verstandigst. Marit nam Emma bij de hand en verliet met haar de kamer. Ze hoorde de dokter zeggen: „Je blijft altijd zo in je zorgen vastzitten. Je moet dat kind veel meer buiten laten spelen. Dan krijgt ze meer weerstand. Ach ja, het is zo jammer dat je zelf nooit een kind hebt gekregen."

Marit bleef even doodstil achter de deur staan, nam Emma op de arm.

„Houd je dat feit nog steeds geheim, ook tegenover Michael? Maar dat verandert de zaak niet, Joanna. Emma zal er op den duur zelf achter komen dat jij niet haar moeder bent. In dat verband is zwijgen geen goud. Dat heb ik je al eerder gezegd."

Marit liep nu snel en geruisloos de trap op. Dit was natuurlijk niet voor haar oren bestemd geweest. Hoe was het mogelijk dat Michael dit niet wist? Maar hij had Joanna natuurlijk pas leren kennen toen zij Emma al had.

Ze had dus als vrouw alleen een kindje geadopteerd. Mogelijk kende zij de moeder. Ze keek op toen Michael de gang in kwam. „Is er iets?" vroeg hij.

Ze schudde het hoofd. Dit huis zat vol geheimen. Maar wie was zij om de zaken te ontrafelen?

Ze ging die avond vroeg naar haar kamer. Joanna was bij Emma en Michael was in zijn werkkamer. Dit was zo'n dag dat ze zich afvroeg wat ze hier eigenlijk deed. Ze zette de televisie aan en kreeg deze keer gemakkelijk een Nederlandse zender. Ze stuitte op het programma *Vermist* en bleef kijken. Het was altijd bevredigend als er echt mensen werden teruggevonden en regelmatig gebeurde dat.

Intussen dwaalden haar gedachten af naar de middag met Philip. Hij zou haar bellen.

Misschien was het voor hem niet meer dan een oppervlakkige flirt, maar ze hoopte dat het toch iets meer was. Toen de deur werd geopend en Joanna op de drempel stond was ze hoogst verbaasd. „Waar kijk je naar?" vroeg ze scherp.

Marit haalde de schouders op. „Niets belangrijks."

„Doe hem dan uit," zei Joanna, waarop ze de afstandsbediening pakte en de tv uitdeed. Verontwaardigd keek Marit haar aan. „Ik dacht dat ik op mijn kamer vrij was om televisie te kijken?" zei ze.

„Natuurlijk. Maar niet dit programma. Word je niet nerveus van al die verdwenen en ontvoerde volwassenen en kinderen?"

„Het merendeel is uit zichzelf vertrokken," zei Marit kalm. Slechts een enkele keer gaat het om een vermist kind. Maar dat gaat dan meestal om een oude zaak. De politie heeft dan alles al nagetrokken."

„Ik denk dan altijd: stel dat Emma vermist wordt," zei Joanna met trillende lippen.

„Dat lijkt me nogal onwaarschijnlijk. Dat kind is nooit een moment alleen," zei Marit nuchter.

„Ik zou mijn verstand verliezen," mompelde Joanna.

Als je dat af en toe al niet een beetje kwijt bent, dacht Marit.

„Wil je niet meer naar dat programma kijken?" vroeg Joanna haast smekend.

Marit kon nu zeggen dat ze dit te ver vond gaan, dat Joanna zelf niet hoefde te kijken, maar ze zei alleen: „Oké, als je er op staat."

Later, toen Joanna weer weg was, dacht Marit over haar woorden na. Het was echt vreemd zoals Joanna zich gedroeg. Het was mogelijk helemaal verkeerd om aan dergelijke onzin toe te geven. Maar ze wilde haar ook niet overstuur maken.

Ze belde die avond haar moeder die duidelijk blij was haar te horen. Ze vertelde dat Jasmin langs was geweest en naar haar had gevraagd. „Ze vindt dat je zo weinig vertelt. En daar ben ik het wel mee eens," zei Inge. „Ik ben zo benieuwd hoe

74

het daar is. Ik kom er ook niet achter of je het nu echt leuk vindt."

Ik eigenlijk ook niet, dacht Marit. Hoewel de ontmoetingen met Philip een en ander hier wel meer de moeite waard maakten. Toen haar moeder vroeg of ze haar kon komen opzoeken, hield ze zich op de vlakte. Ze beloofde wel binnen enkele weken iets definitiefs te laten horen. Met een onbevredigd gevoel legde ze de hoorn neer. Ze begon zich hier toch een beetje een gevangene te voelen.

Eenmaal in bed dacht ze er nog eens over na. Ze zou Michael kunnen vragen of er in de buurt een redelijk hotel was waar haar moeder kon logeren. Het zou wel erg tegenvallen als hij dan niet zei dat ze natuurlijk in de Fairiesgarden terecht kon. Maar Joanna was er ook nog en zij had een soort fobie voor onbekenden ontwikkeld. En hoe kinderlijk en meegaand Joanna zich soms ook gedroeg, als er iets niet naar haar zin was kon ze behoorlijk over haar toeren raken. Ze kon zich voorstellen dat Michael in dergelijke toestanden geen zin had.

Ze werd met een schok wakker doordat er iets tegen het raam tikte. Een tak waarschijnlijk, er was meer wind gekomen. Ze werd hier nog steeds van iedere kleinigheid wakker. Er ketste nu iets tegen haar raam. Dat kon oom Stanley niet zijn. Dan zou hij in de boom moeten klimmen die vlak voor haar raam stond. En waarom zou hij zoiets doen? Toen hoorde ze een stem. Iemand fluisterde haar naam. Ze schoot rechtop en staarde naar de gordijnen. Er waren wat bewegende schaduwen maar dat kon nog steeds de boom zijn. Bomen praten echter niet, daar was ze zeker van. Maar wie wist hier haar naam? Even schoot de gedachte aan Philip door haar heen. Maar waarom zou hij zoiets belachelijks doen? Misschien had oom Stanley toch gelijk en wandelde er een heks rond in de feeëntuin.

Voorzichtig schoof ze haar bed uit en tuurde door het smalle kiertje van de gordijnen.

Er zat een figuur op een van de dichtstbijzijnde takken van de boom. Haar hand ging naar haar keel. Het leek een vrouw. Droomde ze, of spookte het hier werkelijk?

Ineens schoof ze met een ruk het gordijn open. De figuur op de tak schrok zichtbaar maar kon zich nog net vastgrijpen. Toen er een moment een streepje maanlicht verscheen, meende Marit een bos wilde krullen te zien. De heks had veel wild haar had oom Stanley gezegd. Ineens vastbesloten duwde ze het raam open. „Wie is daar?" vroeg ze in het Engels.

„Hai Marit," klonk een overbekende stem.

„Wat? Jasmin? Ben je helemaal gek geworden?"

„Laat je mij niet binnen?" vroeg ze of het de gewoonste zaak van de wereld was dat ze in een boom zat. Marit opende het raam wijder en ging wat opzij. In enkele minuten had Jasmin haar been over de vensterbank en kwam haar kamer binnen.

„Idioot!" siste Marit.

„Ja. Ik weet het en je hebt gelijk."

„Sssst." Het mankeerde er nog maar aan dat Joanna of Michael wakker werd en kwam informeren wat er aan de hand was. Ze knipte een schemerlamp aan en keek haar vriendin aan. Jasmin had in elk geval het fatsoen een beetje beschaamd te kijken.

„Ik weet gewoon niet wat ik moet zeggen," bracht Marit ten slotte uit.

„Je bent waarschijnlijk niet blij dat ik er ben."

Onwillekeurig schoot Marit in de lach. „Waarom kwam je niet gewoon langs? Waarom loop je hier al enkele dagen rond en jaag je een oude man de stuipen op het lijf?"

„En jou ook," klonk het plagend.

Zoals gewoonlijk kon Marit moeilijk boos op haar blijven.

„Ik wilde zo graag naar je toe," zei Jasmin nu kinderlijk.

„En Nick dan?" vroeg Marit die het antwoord al vermoedde.

„Nick? Hij wil zijn vrouw niet in de steek laten. Maar hij wil mij erbij. Dat was niets geworden."

„En daarvoor heb je alles op zijn kop gezet en ben ik nu hier!"

„Ik voelde me schuldig en ik dacht dat het niet zo goed met je ging," zei Jasmin

„Ik heb je geen enkele reden gegeven om dat te denken."

„Dat niet. Maar ik ken je. Je voelt je hier niet helemaal happy.

En nu ben ik hier. Trouwens, die man die hier woont, dat is wel een stuk."

„Jasmin!" waarschuwde Marit. „Michael is getrouwd en heeft een kind."

„Daarom kan hij nog wel een stuk zijn. Marit, kan ik hier slapen? Ik was enkele nachten in dat vakantiehuisje. De sleutel lag in een bloempot. Dat doen mensen blijkbaar overal ter wereld. Enfin, het was zeker geen comfortabel bed. Mag ik hier slapen vannacht?"

Ze wierp een verlangende blik op Marits bed. „Op de bank," zei deze hardvochtig.

Wat later lagen ze inderdaad allebei. Jasmin was als een blok in slaap gevallen. De onschuld zelf, dacht Marit. Zelf was ze klaarwakker. Ze was er nog niet uit hoe het nu verder moest. Maar ze moest zichzelf toegeven dat ze het wel een prettig idee vond dat Jasmin hier was. Alles leek ineens luchtiger en vrolijker.

De volgende morgen bij het wakker worden keek ze recht in de heldergroene ogen van Jasmin. „Vertel," zei deze.

Marit ging rechtop zitten. Het was nog vroeg. „Ik denk dat je eerst maar eens moet kennismaken met de familie. Ik zal naar beneden gaan om het ontbijt te verzorgen, dan kan ik hen voorbereiden. De vrouw des huizes ontbijt gewoonlijk op haar kamer."

„Aha. Een verwend nest dus," concludeerde Jasmin.

„Ze heeft zo haar problemen," zei Marit neutraal.

„Je zal toch door een dergelijk persoon als haar echtgenoot, je ontbijt op bed geserveerd krijgen," zei Jasmin dromerig.

Marit grinnikte. Jasmin was onverbeterlijk, maar aan de andere kant leek er ook ineens een verfrissende wind te waaien. „Ik ga me klaarmaken. Misschien wil jij ook douchen?"

„Wat denk je?" Jasmin keek langs haar gekreukte kleren naar beneden. „Kan ik iets van jou aantrekken?"

Marit knikte naar de halfopenstaande kast en verdween in de douche. Toen ze terugkwam zat Jasmin op de rand van het bed en tuurde naar buiten.

„Wat ben je nu van plan?" vroeg Marit nieuwsgierig. „Er is

namelijk een goede kans dat je zonder meer wordt weggestuurd."

„Er is ook een kans dat ze mij onweerstaanbaar vinden." Marit gaf haar een duw en Jasmin sprong op. Haar ogen schitterden. „We gaan het strijdperk in."

Maar Marit zei beslist: „Ik ga alleen. Je kunt niet ineens aan de ontbijttafel verschijnen."

„Goed, goed, maak je niet druk," suste Jasmin. Die uitdrukking had ze al vaak van Jasmin gehoord. En het was waar, zij zag sneller problemen dan haar vriendin. Maar het leek haar nu niet de manier om de mensen te overrompelen. Zeker een type als Joanna zou tijd nodig hebben om aan weer een ander persoon te wennen. Als ze daar al energie in wilde steken.

Beneden vond ze oom Stanley bezig met het ontbijtlaken op tafel te leggen en het er ook weer af te halen. „Laat mij dat maar doen," zei ze vriendelijk. Hij liet het uit zijn hand nemen en ging weer zitten. Een beetje bezorgd keek ze naar hem. Het was altijd beter als hij iets te doen had. „Wilt u de bordjes en de bekers halen?" vroeg ze. Gewillig stond hij op. Zijzelf begon met de voorbereiding van het uitgebreide ontbijt. Toen ze voetstappen op de trap hoorde ging ze door met sinaasappels persen.

„Marit, wat ben je vroeg."

„Ik was toch wakker." Ze wierp een vluchtige blik op Michael. Hij was inderdaad een leuke man met zijn grijze ogen en roodbruine haar. Dat was haar nog nauwelijks opgevallen. Zij viel meer voor een type als Philip. Maar Jasmin kennende... Lieve help, ze hoopte maar dat ze zich inhield. Als Jasmin haar charmes over iemand uitstortte was ze moeilijk te weerstaan, dat had ze eerder gemerkt. Bij haar vriendin vergeleken was Joanna een kleurloos type. „Ik moet je iets zeggen," zei ze toen, Michael aankijkend.

„Toch niet dat je weggaat, hoop ik." Ze glimlachte om dit verborgen complimentje.

„Nee. Maar ik... Ik ben bang dat je nu toch erg boos wordt. Het is namelijk zo, vannacht werd ik wakker..." Hij bleef haar afwachtend aankijken. „Mijn vriendin is onverwacht gekomen," gooide ze er dan uit.

„Je vriendin?" herhaalde hij niet-begrijpend.

„Ja. Degene die hier eerst zou komen werken. Ze wilde mij opzoeken. Ze is hier al enkele dagen. Vannacht zag ik haar voor het eerst."

„Waarom vannacht?"

„Tja, misschien wil je haar dat zelf vragen." Marit was ineens geërgerd dat Jasmin haar zo in de problemen bracht.

„En waar is ze nu?"

Op dat moment hoorde ze rumoer in de gang en sloeg oom Stanley met een klap de deur open. Marit kon nog net de bordjes van hem overnemen. „Ze is daar. Ze is boven. Ze heeft bezit genomen van dit huis," riep hij.

Zowel Michael en Marit liepen naar de gang. Bovenaan de trap stond Jasmin gekleed in de enige rok die Marit bij zich had. Een wijde ongelijk hangende rok met een bloempatroon en een shirt in een mooie groene tint. Haar roodbruine haar krulde tot op haar schouders, haar ogen schitterden. Marit keek onwillekeurig naar Michael. Hij staarde naar Jasmin of hij een geestverschijning zag. En zo leek het ook, ze leek niet van deze wereld. Toen vond Michael zijn stem terug. „Kom naar beneden en jaag niet iedereen de stuipen op het lijf!" riep hij. Nu gaan de problemen pas goed beginnen, dacht Marit.

Nu zou Jasmin toch met een goed verhaal moeten komen. Uiterlijk volkomen ontspannen daalde haar vriendin als een soort toverfee de trap af. „Ik ben Jasmin," zei ze haar hand naar Michael uitstekend.

„Dat heb ik begrepen. Maak je altijd zo'n spectaculaire entree?" Het klonk niet boos, eerder geamuseerd. Mensen werden zelden boos op Jasmin, dacht Marit. Haar glimlach deed iedereen smelten, vooral mannen. Michael maakte nu een gebaar naar de gedekte tafel. „Ik neem aan dat je nog niet hebt ontbeten? We zullen daarna praten."

Stanley kwam schoorvoetend ook zitten, zo ver mogelijk van Jasmin vandaan.

„Ik heb u laten schrikken. Dat was niet mijn bedoeling," zei deze berouwvol.

Stanley gaf haar een schichtige blik maar zei niets. Na het

eten hielp Jasmin als vanzelfsprekend met afruimen. Ze zei niet veel, evenals Marit. De laatste vroeg zich af hoe Michael dit zou afhandelen. Nog een geluk dat Joanna nog niet beneden was. Die zou waarschijnlijk niet verder komen dan te zeggen dat deze indringster onmiddellijk moest verdwijnen.

„Vertel me nu maar eens wat je ertoe bracht hierheen te komen. Terwijl er eerst een belangrijke reden was waarom je juist niet wilde komen."

„Er was een man," begon Jasmin tot Marits verbazing onmiddellijk met vertrouwelijke informatie.

„Natuurlijk," reageerde Michael.

„In elk geval, ik wilde weg uit Nederland. En toen kreeg ik het idee om stukjes te gaan schrijven over Engelse landhuizen en hun bewoners. Ik nam contact op met het tijdschrift waar ik regelmatig voor schrijf. Het lijkt op *Home and Garden*. Ze hadden direct belangstelling. Toen dacht ik, waarom zou ik niet op de Fairiesgarden beginnen?"

Marit probeerde oogcontact te krijgen met haar vriendin, maar deze keek alleen Michael aan. Volkomen eerlijk naar het leek. Was dit fantasie, om het maar voorzichtig uit te drukken? Het kon ook waar zijn. Jasmin kon leuk schrijven en ze schreef regelmatig stukjes voor verschillende tijdschriften.

„Het is goed dat je hebt begrepen dat je nu Marits plaats niet meer kunt innemen," zei Michael kalm.

„De vraag is of ik hier kan logeren terwijl ik werk. Ik kan u natuurlijk betalen. Of kunt u mij een goed hotel aanbevelen?" vroeg Jasmin.

„Ik moet dit eerst met mijn vrouw bespreken." Michael stond op en verdween uit de kamer. „Is dit echt waar, van die tijdschriften?" vroeg Marit.

„Natuurlijk. Denk je dat ik glashard zit te liegen?"

„Nou, je geeft vaak een eigen kleur aan een verhaal," drukte Marit zich voorzichtig uit.

„Het is de waarheid, Marit. Het is een uitdaging. Zou jij het vervelend vinden als ik hier soms logeerde? We kunnen dan samen uitgaan."

Marit antwoordde niet. Jasmin was haar vriendin en ze konden het prima vinden samen. Alleen had Jasmin wel eens de neiging om mensen te shockeren. Ze vroeg zich af of ze hier geaccepteerd zou worden.

„Het zijn hier keurige mensen. Ze houden niet van ophef," zei ze en ze vond zichzelf op dat moment ongelooflijk saai. „Maar ik zou het zeker leuk vinden als je hier was. Het zou alles hier een stuk levendiger maken. Ik weet alleen zeker dat Joanna daar niet op zit te wachten."

„En zij heeft de touwtjes in handen," veronderstelde Jasmin.

„Dat niet direct. Zij is geen sterke persoonlijkheid. Maar oordeel zelf." Ze hoorden haar nu de trap afkomen. Het was Emma die de deur opende en snel naast Marit kwam staan en haar hand vastgreep. „Is zij een heks?" vroeg het kind. Ook haar waren de opmerkingen van oom Stanley niet ontgaan.

„Ik ben geen heks. Misschien ben ik een fee," reageerde Jasmin prompt.

„Niet. Waar zijn je vleugels dan?"

Een antwoord werd Jasmin bespaard doordat Joanna ook binnenkwam. Een Joanna die duidelijk uit haar doen was. Marit zag zelfs een glimp van angst in haar ogen. „Toen ik goedvond dat zij hier bleef," een knikje naar Marit, „ging het alleen om haar. Dat was duidelijk afgesproken."

„Dat zei je al. Als je echt wilt dat ze vertrekt dan zal ik vragen of ze bij de familie Benfield terecht kan. Alleen, zij zullen vragen waarom wij haar onderdak weigeren. Er is hier immers ruimte genoeg."

„Van mij zul je geen last hebben," zei Jasmin nu. „Ik schrijf over deze omgeving. Denk je eens in, dit huis kan wel beroemd worden!"

„Denk je dat ik zoiets wil?" klonk het heftig van Joanna. „Bekend, beroemd, dat is wel het laatste waarop ik zit te wachten."

„Bent u niet trots op dit huis en deze prachtige tuin?"

Joanna ging langzaam zitten, het leek of ze een en ander overwoog. „Ik wil alles van tevoren lezen," bedong ze.

„Natuurlijk. Waarom niet?" Jasmins groene ogen straalden en

Marit zag de bewondering in Michaels blik. Hoe kreeg ze het toch altijd weer voor elkaar? Ze kon alleen maar hopen dat niet ook Philip als een baksteen voor haar zou vallen.

HOOFDSTUK 7

Jasmin deed binnen enkele dagen of ze op de Fairiesgarden thuishoorde. Het moest gezegd, ze schreef veel, maakte massa's foto's en had binnen veertien dagen een artikel gefaxt naar Nederland. Ze sliep in de kamer naast die van Marit en deze moest toegeven dat het vooral in de avond erg prettig was dat haar vriendin er nu was. Het feit dat Jasmin blijkbaar verliefd was op Michael negeerde Marit zoveel mogelijk. Ze hoopte dat Joanna's echtgenoot hetzelfde zou doen.

Die avond zaten ze op Marits kamer met het raam wijd open. Het was net niet warm genoeg om buiten te zitten, maar die dag was Marit veel buiten geweest met Emma. Het kind had een bruin kleurtje gekregen wat Jasmin de opmerking ontlokte dat ze een buitenlandse leek. „Ze is ook niet van Joanna," zei Marit. „Maar het is niet de bedoeling dat je dat in een van je verhalen schrijft."

„Natuurlijk niet. Dus Michael heeft in feite geen vrouw en geen kind?"

„Hij is met Joanna getrouwd. En een geadopteerd kind is ook je kind," zei Marit nadrukkelijk.

„Toch jammer voor zo'n man. Hij zou een leuk gezin moeten hebben," ging Jasmin onverstoorbaar door.

„Ik heb niet de indruk dat hij ongelukkig is," zei Marit stijf.

„Dan kijk je niet goed. Joanna geeft niets om hem. Ze scharrelt met die James. Het is een vreemde familie."

„Ik denk niet dat ze er prijs op stellen dat je hun privé-leven ontrafelt," zei Marit geïrriteerd.

„Dat ben ik heus niet van plan. Kunnen wij morgen iets gaan doen?" Ze wist dat Marit een vrije dag had.

Ik heb een afspraak," zei deze onwillig.

„Echt waar? Dat vertel je mij nu pas. Wie is het? Ben je verliefd?"

Marit wendde haar gezicht af. „Hij is een goede vriend."

„Waarom heb je mij niets verteld?"

Marit dacht aan Philip. Zijn rustige optreden, het vonkje humor in zijn bruine ogen.

Wat zou hij van Jasmin vinden? Misschien was hij helemaal weg van haar. Zijzelf was zoveel gewoner dan Jasmin met haar sprankelende persoonlijkheid. Ze had met Philip afgesproken de tuin *Lost Garden Jungle* te bezoeken. . De naam zei genoeg. Het moest een exotisch geheel zijn met palmbomen en bamboe. Ze had Philip de week ervoor ontmoet toen ze boodschappen deed. Hij had toen weinig tijd en ze hadden deze afspraak gemaakt. Ze had het niet nodig gevonden Jasmin hierover in te lichten.

„Het feit dat je nu al vijf minuten zwijgt zegt heel veel," plaagde Jasmin.

„Ik praat niet zoveel als jij," verdedigde ze zich.

„Ben je bang dat ik verliefd op hem word. Je weet dat ik zoiets nooit zou doen. Ik ben trouwens al verkocht."

Nee, haar vriendin mocht soms roekeloos zijn en onvoorspelbaar, ze was wel eerlijk, dacht Marit. „Je leert hem vast nog wel kennen," mompelde ze.

De volgende dag wilde Marit juist weggaan toen Joanna haar kamer uitkwam.

„Het is toch niet vandaag dat je vrij bent?" vroeg ze. Marit kende dat toontje.

„Dat weet je best," zei ze kalm.

„Kun je niet morgen gaan? Het komt ontzettend slecht uit.".

„Ik heb een afspraak."

„Met Philip zeker. Ik zal hem bellen. Hij begrijpt het wel."

Zou hij werkelijk toegeven? vroeg Marit zich af. Joanna verdween in haar kamer en belde daar. „Hij vindt het prima," kwam ze na een moment terug.

„Dus ik laat Emma bij jou. Ik moet zelf nog weg."

In haar hart Philip voor slappeling uitscheldend, zei Marit: „Ik heb mijn vrije dag en daar houd ik me aan." Ze verliet het huis en trok de voordeur met een klap achter zich dicht. Op het terras zag ze Jasmin. „Ze wil me hier houden maar ik ga toch," zei ze nijdig.

„Natuurlijk ga je. Afspraak is afspraak. Ik zal wel op Emma passen. Kan ik gelijk wat foto's van haar nemen."

Marit haastte zich naar haar auto en belde daar Philip. „Als jij je door haar laat manipuleren, ik niet," zei ze nijdig.

„Hè, waar heb je het over? Ik heb Joanna net gezegd dat er niks van inkomt. Dat deze dag vaststaat."

„Ze zei dat jij het prima vond een andere keer te gaan," mopperde Marit.

„Joanna hoort wat ze graag wil horen. Ik zit trouwens al in de auto en kom je halen."

Dat was natuurlijk handiger dan dat zij haar eigen auto weer ergens moest parkeren, dacht Marit. Ze sloot haar auto af en liep naar het hek. En bleef daar wachten.

„Uitkijkend naar je geliefde?" klonk het plagend achter haar. Ze keerde zich naar Jasmin.

„Wat vindt ze ervan dat jij op Emma past?"

„Ze vindt het niet prettig. Maar ze schijnt zo nodig weg te moeten dat ze mij maar voor lief neemt."

„Ze komt nooit verder dan de tuin," zei Marit.

„Dat weet je niet zeker. Waar die huisjes staan, kun je wat verderop afdalen naar de rivier." Ze keken elkaar aan en dachten beiden hetzelfde. James!

Hoe kan ze Michael zo bedriegen, vroeg Jasmin zich af. „Lieve help, als ik moest kiezen, dan wist ik het wel."

„Jij moet niet kiezen," wees Marit haar streng terecht. Jasmin stak haar tong uit.

Toen ze de auto van Philip zag aankomen, liep ze hem vast tegemoet, zwaaide even naar Jasmin. Deze bleef echter gewoon afwachten. Philip stapte uit en stelde zich voor. Hij bekeek Jasmin met meer dan gewone belangstelling. „Ik heb van je gehoord," zei hij vriendelijk. „Je bent hier als een soort projectiel komen binnenvliegen."

„Het was nogal onverwacht," gaf Jasmin toe.

„Wat zegt Joanna hiervan?" vroeg hij.

„Ik heb gezegd dat ik over dit huis zal schrijven. Ik heb een opdracht voor een serie over Engelse landhuizen en tuinen. Ik geloof dat ze dat wel interessant vond."

„Je weet mensen wel te bespelen," zei Philip. Het was niet te horen of hij dit positief dan wel negatief vond. Jasmin leek even wat onzeker.

„We gaan," zei Philip. Ze stapte in, keek Jasmin na die rustig de tuin inliep.

„Het lijkt wel of je haar niet mag," zei Marit.

„Zo snel heb ik mijn oordeel nu ook weer niet klaar. Maar de manier waarop ze zich heeft opgedrongen, bevalt me niet. Je zult moeten toegeven, het is behoorlijk brutaal. Schrijven over Engelse landhuizen. Is het wel waar?"

„Dat denk ik wel. En anders maakt ze het waar. Er is weinig wat haar niet lukt. Verder is ze een leuke meid en een trouwe vriendin."

Hij haalde de schouders op. „Daar kan ik niet over oordelen." Hij zweeg er verder over en vertelde een en ander over de tuin die ze zouden gaan bezoeken. Intussen piekerde Marit. Ze was eerst bang geweest dat Philip gecharmeerd zou zijn van Jasmin. Ze was daar eigenlijk al op voorbereid, het gebeurde met de meeste mannen. Maar nu leek het of hij een hekel aan haar had en dat was ook geen prettige gedachte.

Bij de tuin was een grote parkeerplaats. Er stonden echter slechts enkele auto's. „Het is nog geen vakantie," verklaarde Philip. „Het kan hier enorm druk zijn. Schreeuwende kinderen die over de bruggen rennen en verstoppertje spelen. Wat dat aangaat is het nu een paradijs."

Het eerste gedeelte liepen ze over een breed pad. De zon speelde door de bomen, maar wat later kwamen ze in een donker gedeelte waar soms geheimzinnige meertjes opdoken, overwoekerd door lianen. Her en der verspreid stonden beelden van kabouters, trollen en heksen. Ook kwamen ze een boeddhabeeld tegen. Hier en daar waren hangbruggen. Het leek inderdaad net een oerwoud je zou gemakkelijk kunnen verdwalen. Ze vroeg Philip of dat bezoekers wel eens was overkomen en hij knikte.

„Voornamelijk kinderen, ze nemen enkele zijpaadjes en ineens lijkt het wel een doolhof. Maar iedereen is altijd teruggevonden, voorzover ik weet," plaagde hij.

Even later gingen ze op een bank zitten, waar enkele zwanen statig rondzwommen.

„Ik stel voor straks in de theetuin iets te gaan drinken," zei hij.

„Je bent stil, voel jij je niet prettig hier?"

Eigenlijk niet, dacht ze. Maar dat wilde ze toch niet toegeven, het leek zo kinderachtig. „Ik houd meer van open ruimtes en van de zee," zei ze. „Jasmin zou dit geweldig vinden. Waarschijnlijk zou ze aan een van die lianen naar de overkant slingeren." Nu had ze de naam van haar vriendin toch genoemd en ze had dat juist willen vermijden. „Ik zou het jammer vinden als je haar niet mocht," voegde ze eraan toe.

„Dat maakt toch niet uit? Ik heb niets met haar te maken."

Wel als onze vriendschap in iets serieuzers overgaat, dacht Marit. Ze is mijn beste vriendin. Maar ze durfde dat niet te zeggen. „De meeste mensen vinden haar bijzonder aantrekkelijk," zei ze nog.

„Dat verwondert mij niet. Ze is niet mijn type. Maar toen ik Michael over haar hoorde, dacht ik: hij is wel erg enthousiast. Ik wil niet dat Joanna gekwetst wordt, Marit."

Dus dat zat er achter. „Jasmin zou nooit... Michael is getrouwd." Ze zweeg. Nick was ook getrouwd. En had Jasmin niet gezegd dat ze verliefd was op Michael?

„Staat Michael zo zwak in zijn schoenen?" vroeg ze.

„Die indruk heb ik niet. Maar hun huwelijk is niet bepaald een aards paradijs. Heb je dat nog niet gemerkt?"

„Hij is vaak weg," aarzelde ze.

„Precies. Ze doen nooit iets samen."

„Maar Joanna leeft ook in haar eigen wereldje," voelde Marit zich geroepen het voor Michael op te nemen.

„Klopt. En dan komt Jasmin, zo sprankelend, zo heel anders dan Joanna. Nee, ik ben niet blij dat ze hier is. Als Joanna zich in de steek gelaten voelt, grijpt ze weer naar haar oude redmiddel, vrees ik: drank! Maar laten we niet op de zaken vooruit lopen. We hebben het er al over gehad, Emma is niet Joanna's kind. Ze vertelde mij dat het kind van een vriendin is dat ze heeft geadopteerd omdat de vriendin is overleden. Ik weet niet of het klopt. Joanna kan flink fantaseren."

„Liegen zul je bedoelen."

„Ik kijk even of hier vlakbij dat theehuis is. Anders lopen we straks een heel stuk voor niets. Wacht hier maar even." Hij wilde kennelijk niet meer over Joanna praten.

Even later was ze alleen. Ze hadden inderdaad al een flink stuk gelopen, maar toch was Marit liever met hem meegegaan. Maar hij dacht toch al dat ze zich hier niet op haar gemak voelde. Een merel hipte tot vlakbij haar schoen, de zwanen dreven nog steeds sierlijk voorbij. Soms ging er een windvlaag door de bomen, als het gefluister van veel stemmen. Ze keek op haar horloge. Philip was nu een kwartier weg. Ze kon niet helpen dat haar ogen onafgebroken het paadje in het oog hielden waarlangs hij was vertrokken. Zou ze hem achterna gaan? Maar ze kon hier gemakkelijk verdwalen. Mogelijk was hij zelf de weg kwijt. Ze zou een eindje het pad aflopen. Ze liep vijf minuten alle zijpaden negerend. Toen stond ze voor een hangbrug. Het leek aan de andere kant wat lichter. Ze nam aan dat een theehuis op een open plek zou staan. Voorzichtig liep ze over de brug die zachtjes heen en weer schommelde. Aan de andere kant aarzelde ze. Zou Philip werkelijk deze kant hebben genomen? Ze kon beter teruggaan. Aan de andere kant waren twee paden en ze wist met geen mogelijkheid langs welke ze was gekomen. Het zag er allemaal precies hetzelfde uit. Ze had iets moeten laten vallen, zoals Hans uit het sprookje van Hans en Grietje. Aan het andere eind van het pad was het duidelijk lichter. Ze liep nu wat sneller en kwam tot stilstand voor een weiland, omheind met prikkeldraad. Enkele koeien staarden haar nieuwsgierig aan. Ze was nu aan de buitenkant van de tuin. Als ze nu de uitgang kon vinden zou ze naar het parkeerterrein lopen en bij de auto wachten. Ze zag echter geen enkel bord wat erop wees dat de uitgang dichtbij was. Een windvlaag ritselde door de bomen en Marit huiverde. Ze dacht: ik ben echt verdwaald. Wat nu? Zou ze langs die koeien durven gaan? Dat waren goedaardige dieren voor zover zij wist. Ze morrelde aan het hek en de dieren kwamen dichterbij. Eensklaps hief een van hen haar kop op en liet een bijzonder langdurig en droefgeestig geloei horen. Misschien dachten die beesten wel dat zij ze kwam melken. Ze had wel eens gezien hoe de dieren dan om de persoon in kwestie heen dromden. Nee, ze durfde niet langs de koeien, besloot ze. Was Jasmin hier maar. Die zou waarschijnlijk gaan jodelen om de aandacht te trekken. En dat zou heel anders klinken dan dat zij nu Philips naam ging roepen. Ze begon de weg terug te lopen, hoewel ze absoluut niet meer wist of ze deze weg eerder had genomen. Toen ze gerucht hoorde op een hoger gelegen pad bleef ze stokstijf staan. Goddank, er waren nog meer mensen. Maar hoe moest ze daar boven komen, de helling was steil. Het was hier echt een jungle. Ten einde raad begon ze toch te roepen. Even later gluurde er een gezicht tussen de struiken. Ze viel haast over haar woorden toen ze uitlegde dat ze was verdwaald en haar vriend was kwijtgeraakt. En waar was de uitgang? De man wees haar hoe ze moest lopen en ze begreep dat er wat verderop een pad omhoog liep. Marit begon te rennen. Ze wilde niet dat deze mensen weer uit haar gezichtsveld verdwenen. Inmiddels had ze het schrikbeeld voor ogen dat ze hier in het donker nog rond zou dwalen. De man wachtte echter op haar.

Er was een vrouw bij hem en twee kinderen die haar nieuwsgierig aanstaarden. Van pure opluchting schoten Marit de tranen in de ogen. De vrouw maakte sussende geluidjes, zei dat ze haar vriend waarschijnlijk hadden gezien. Hij was duidelijk aan het zoeken. Maar ze deed er het beste aan om mee te gaan naar de uitgang, daar kwam uiteindelijk iedereen terecht. Een doolhof had Philip gezegd. Waarom had hij haar alleen achter gelaten en was hij zo eindeloos lang weggebleven? Ze liep met de mensen mee en binnen tien minuten waren ze bij de uitgang. „We gaan sluiten," zei de man bij het toegangshek.

„Mijn vriend is nog binnen," zei ze zenuwachtig.

De man knikte rustig. „We zullen hem oproepen. Hoe is zijn naam?" Ze zei het hem en even later schalde Philips naam door de microfoon, met de mededeling dat hij werd opgewacht bij de uitgang. Gespannen ging Marit op de bank zitten. Ze voelde zich een beetje opgelaten nu ze daar in haar eentje zat te wachten. De anderen waren inmiddels vertrokken. De man bladerde in wat papieren maar gaf niet de indruk dat hij haast had om weg te komen. En ineens was Philip daar. Ze stond al overeind, was hem het liefst van opluchting om de hals gevallen, maar zijn blik hield haar tegen. Hij was duidelijk boos. Nou en? Had zij niet veel meer reden om kwaad te zijn? Philip groette de beheerder, maakte een gebaar naar Marit hem te volgen en beende met grote stappen weg. Het stond haar ontzettend tegen om hem als een hondje achterna te lopen, maar er zat niets anders op. Bij de auto wachtte hij op haar. „Waarom ben je niet gebleven waar je was?" beet hij haar toe.

„Waarom bleef je zo eindeloos lang weg?" zei ze op dezelfde toon. „Jij ging immers alleen even kijken. Het duurde wel twintig minuten."

„Zo lang?" Hij leek nu wat verlegen. „Nou, zie je, ik verdwaalde." Ze keken elkaar aan en toen schoot Marit in de lach. Hij grinnikte ook, deed enkele passen naar haar toe. „Sorry. Het spijt me dat ik zo bot reageerde. Maar ik was nogal ongerust." Hij strekte een hand naar haar uit en ze legde de hare erin waarop hij haar naar zich toetrok. Even stond ze in zijn omarming, toen maakte ze zich los.

„Ze worden altijd teruggevonden," herhaalde ze zijn woorden. „Niet als skelet, hoop ik."

Hij schoot opnieuw in de lach. „Het is hier zo enorm uitgestrekt. Ik vond het zo vervelend voor je. Ik zag al gebeuren hoe je daar in het donker nog liep te dwalen."

„Ik ook," mompelde ze.

„Laten we dan nu ergens gaan eten, om de schrik te vergeten."

„Ik denk dat Joanna erop rekent dat ik met het eten thuis ben," aarzelde ze. Hij haalde de schouders op. „Ik bel haar wel even."

Ze hoorde aan het gesprek dat Joanna het inderdaad niet met de gang van zaken eens was. Maar ook dat Philip voet bij stuk hield.

„Ze vindt het niet prettig dat wij met elkaar omgaan," zei Marit toen hij de verbinding had verbroken.

„Dat is zo. Maar dat ligt niet zozeer aan jou, als wel aan het feit dat ze sowieso niet wil dat ik met een vrouw uitga. Zoals je weet, is ze mijn nichtje. Ze heeft mij altijd als haar grote broer beschouwd. Een vriend waar ze altijd op terug kon vallen. Vroeger vond ik dat niet erg, maar de laatste tijd begint een en ander mij een beetje tegen te staan. Dus we trekken ons van Joanna niets aan. Michael is immers ook thuis. En die vrien-din van je. Joanna verzamelt het liefst een groepje mensen om zich heen die haar op haar wenken bedienen."

„Michael komt daar aardig aan tegemoet," zei ze denkend aan het ontbijt dat Joanna meestal boven geserveerd kreeg.

„Ja. Maar het begint hem wel de keel uit te hangen."

Marit ging naast hem in de auto zitten.

Als Philip gelijk had dan hoefde Jasmin vast niet veel moeite te doen. Lieve help, als haar vriendin zich maar op de achtergrond hield. Maar dat was van Jasmin niet te verwachten. Ze moest maar hopen dat Michael voor ogen hield wat er op het spel stond.

Jasmin had die middag diverse foto's gemaakt in en om het huis. Ook van Joanna die als een ouderwetse lady in een stoel zat gedrapeerd, zoals Jasmin het in stilte noemde.

Emma stond naast haar en een groter verschil was niet denkbaar. De bleke, kleurloze Joanna en het donkere uiterlijk van Emma. In elk geval was Joanna ijdel genoeg om toestemming te geven enkele foto's te publiceren. Ze ging die middag nog enkele uren weg. Na een stortvloed van raadgevingen en verboden liet ze Emma achter onder de hoede van Jasmin. Het ging Jasmins ene oor in het andere uit. Ze ging met het kind de tuin in, deed spelletjes, las haar voor en leerde haar enkele Nederlandse woordjes. Toen Michael thuiskwam rende Emma hem tegemoet met een vrolijk: „Dag pappa."

Verrast keek Michael Jasmin aan. „Wat leuk."

„Speel je met mij?" vroeg Emma toen.

„Natuurlijk. Wat knap dat je Nederlands kent."

„Ik kon nog maar een klein beetje. Maar iedere dag een beetje meer," zegt zij.

Michael knikte. „Je moet dit wel met Joanna bespreken," zei hij, Jasmin aankijkend.

„Ik dacht dat dit juist was waarvoor Marit was aangenomen," reageerde Jasmin.

„Dat is ook zo. Evenals Joanna zelf lesgeven. Maar ze is van gedachten veranderd. Dat overkomt haar nogal eens. Is mijn vrouw nu binnen?"

Jasmin aarzelde. Moest ze zeggen dat ze in de tuin was en waarschijnlijk een gezellig uurtje doorbracht met James? „Ik weet het niet," zei ze.

Hij keek haar met opgetrokken wenkbrauwen aan en ze kreeg een kleur.

„Natuurlijk weet je het wel en ik weet het ook. Maar laten we net doen of we van niets weten."

Ze deed een stap naar hem toe. Hij keek in haar heldergroene ogen en kreeg het gevoel dat de bodem onder zijn voeten wegzakte. „Je moet niet alles van haar nemen," zei Jasmin rustig.

„Voor de lieve vrede en voor Emma," antwoordde hij. Jasmin zei niets. Ze wist hoe belangrijk Emma voor hem was. Maar was een kind gelukkig in een slecht huwelijk? Ze zei echter niets. Het zou erop lijken of ze hem van zijn vrouw wilde afhalen. En dat wilde ze niet. Ze wilde dat hij geen vrouw had. Maar ze was er inmiddels achter dat aantrekkelijke mannen altijd een vrouw hadden.

Beiden zagen ze Joanna hun richting uitkomen. Ze liep langzaam en bleef af en toe staan en keek om zich heen. Alsof ze alleen een wandeling maakte. Er ontbrak alleen een parasol, dacht Jasmin ironisch. Ze zag zichzelf met haar jeans onder de grasvlekken en het groene shirt dat perfect kleurde bij haar ogen, maar nodig in de was moest. Ze streek door de bos krullen en bond het lint opnieuw vast. Bij Joanna vergeleken leek ze een straatmeisje. „Dag mamma. Wil je met me spelen?" riep Emma op dat moment.

Joanna bleef eerst stokstijf staan en staarde naar hen of ze spoken zag. Toen kwam ze snel naar hen toe. „Wat zei je daar?" vroeg ze heftig.

Een beetje beteuterd keek Emma haar aan.

„Je praatte Nederlands."

„Jasmin heeft het mij geleerd." Joanna keek Jasmin woedend aan. „Had ik je dat gevraagd?"

Jasmin richtte zich wat hoger op, ze was een stuk langer dan de andere vrouw. „Ik herinner mij dat dat een voorwaarde was om hier te worden aangenomen."

„We moesten het kind Nederlands leren. En jou ook."

„Michael wilde dat, ik niet. Ik heb niets met Nederland. Ik wil niet dat ze die taal leert spreken. Het klinkt mij onaangenaam in de oren."

„Maar het is voor uw man toch prettig als Emma ook zijn taal spreekt?" waagde Jasmin nog.

„Het is nergens voor nodig. Ik wil het niet, hoor je." Er klonk een begin van paniek in haar stem.

„Joanna," klonk het plotseling van Michaels kant. „We hebben een advertentie gezet in een Nederlandse krant omdat we wilden dat Emma die taal ook leerde. Jij wilde een Nederlandse krant gaan lezen en naar de Nederlandse televisie kijken. En je wilde met mij in mijn eigen taal kunnen praten."

„Ik ben van gedachten veranderd. Ik wil het niet meer horen. Kom mee Emma."

„Nee. Ik ga niet naar binnen." Het kind stampvoette, Joanna deed enkele stappen naar Emma toe, greep haar bij de arm en sleurde haar mee. Jasmin keek Michael aan. Deed hij niks?

Hij keek haar aan. „Je zult me nu wel een slappeling vinden. Maar jij kent haar niet. Hoe meer ik tegen haar inga, hoe hysterischer ze wordt. Dan gaat ze weer drinken en is de ellende niet te overzien."

„Waarom ga je niet bij haar weg. Houd je zoveel van haar?" vroeg Jasmin op de haar eigen directe manier.

„Wat denk je. Als ik haar alleen laat, hoe moet het dan met Emma? Ik ben haar vader niet maar zo voelt het wel. Zie je het voor je, Joanna alleen in dit huis, met het kind en oom Stanley en enkele keren per week Isabel. Joanna kan niet echt voor Emma zorgen. En Emma zal steeds meer een eigen wil krijgen en het wordt steeds moeilijker. Daarom ben ik blij dat jullie er nu zijn. Anders zou ik haast niet meer naar mijn werk durven."

„Maar dat is toch geen leven," zei Jasmin zacht. Hij glimlachte. „Het valt wel mee. Ik houd veel van Emma."

Later toen Joanna weer beneden kwam, zei ze: „Jij moet koken Michael. Marit eet met Philip in de stad. Ook dat was geen afspraak."

„Ze mag op haar vrije dag doen wat ze wil," reageerde Michael kalm.

„Ze zal Philip helemaal inpalmen," mokte Joanna.

„Daar is hij zelf bij. Trouwens, wat dan nog? Philip is dertig en ongebonden."

„Onder invloed van een mooie vrouw verliezen mannen hun verstand," zei Joanna.

„Het is waarschijnlijk wel prettig om op die manier je verstand te verliezen. Beter dan door middel van drank," zei Michael, zijn hand uitstekend naar de fles die Joanna als een teddybeer tegen zich aan geklemd hield. Ze deinsde achteruit. „Je weet dat ik dit af en toe nodig heb, Michael."

„Denk om het kind. Ze moet je niet dronken zien."

„Ik ben niet dronken. Ik kan veel hebben."

„Jammer genoeg wel." Hij draaide zich om en verdween naar de keuken.

„Dus je weet het, geen Nederlandse lessen meer," zei Joanna koeltjes tot Jasmin.

„Voor mij maakt het niet uit. Maar wat heeft Marit hier dan nog te doen?"

„Ze moet hier gewoon zijn. Anders ben ik de hele dag alleen met Stanley en het kind. Daar kan ik niet tegen."

Jasmin zei niets. Ze kon moeilijk zeggen dat ze toch gezelschap had aan James. Ze ging het vertrek uit naar de keuken.

„Laat mij maar koken," zei ze.

„Dat hoeft niet. Ik vind het leuk werk. Maar je mag helpen."

Even later waren ze eensgezind bezig.

Er werd niet veel gezegd maar toch voelde Jasmin een zekere saamhorigheid. „Zolang ik hier ben wil ik best koken," zei ze even later.

Zijn hand raakte even de hare. „Lief van je. Zo af en toe is het misschien nodig. Zeker als Joanna weer in haar oude kwaaltje vervalt." Hij zuchtte.

„Ze moet misschien hulp hebben," aarzelde Jasmin. „Dat weigert ze."

„Maar zo kan het toch niet doorgaan?"

„Ik zei je al, ik kan haar niet in de steek laten. Ze heeft me nodig."

„Was dat al zo toen jullie trouwden?"

„Ze had Emma toen al. En wij dronken op een avond beiden teveel. Later zei ze dat ze zwanger was. Ze was volkomen hulpeloos, ik kon haar niet in de steek laten."

„Maar ze was niet zwanger," begreep Jasmin.

„Ze was niet zwanger."

Jasmin roerde harder in de dressing dan nodig was. Zo'n doortrapt gemeen kreng. En Michael vond haar nog steeds hulpeloos. Terwijl ze intussen ook nog met die ander scharrelde. Ze keek van opzij naar Michael. Hij glimlachte, en zei: „Er zitten twee spatjes op je neus." Met zijn wijsvinger veegde hij deze voorzichtig weg. Jasmin deed een stapje achteruit. Terwijl een kleur haar wangen deed branden. Dat mens was deze aardige man niet waard. Ze had een butler nodig.

„Ik vind het bijzonder prettig dat je er bent," zei Michael plotseling.

Jasmin zei niets, mengde de sla of haar leven ervan afhing. Hij moest niet zo aardig zijn. Ze kon hier echt niet lang blijven. Dan kwamen er problemen, ze was er zeker van.

HOOFDSTUK 8

Philip had een sfeervol restaurant uitgezocht. De bediening was uitstekend, blijkbaar kende men hem. Toen ze hem ernaar vroeg, knikte hij. „Ik kom hier vaker."

Vast niet alleen dacht Marit een tikje jaloers. Ze voelde zich prettig bij hem. Hij vertelde haar over zijn werk en hij deed dat met zoveel humor dat Marit soms voluit in de lach schoot. Hij keek haar dan met een glimlach aan en ze voelde dat hij deze avond even prettig vond als zijzelf. Hij vertelde dat hij een appartement huurde een halfuur rijden van het vliegveld vandaan. En ook dat het zeker de bedoeling was dat hij op den duur in de cottage ging wonen. „Waar ik jou toen als de verrassing van mijn leven op de bank vond," zei hij nog.

„Ja, dat ik dat zomaar durfde. Ik moet wel aan het eind van mijn latijn zijn geweest."

„Ik ben blij dat je het deed," zei hij eenvoudig. „Dat we elkaar voor het eerst ontmoetten zonder dat er anderen bij waren."

Zelf vertelde ze van haar ontslag bij het reisbureau en dat Jasmin precies op het juiste moment was gekomen. „Ik ben over het algemeen veel minder ondernemend dan zij. Maar op dat moment vond ik het een uitweg."

En wat als het allemaal niet was doorgegaan? Joanna is grillig, ze had je zo kunnen terugsturen."

„Dan had ik hier iets anders proberen te vinden. En ik kan altijd terug naar Nederland."

Hij knikte. „Doe maar niet voorlopig. Toch denk ik niet dat je voor lange tijd op de Fairiesgarden zult blijven. Zoals ik al zei, Joanna is onberekenbaar. En nu je vriendin er is voelt ze zich bedreigd."

Marit zei even niets. Voelde Joanna zich bedreigd omdat ze bang was dat Michael teveel aandacht aan Jasmin zou besteden? Was haar opgevallen dat Jasmin haar echtgenoot erg sympathiek vond en dat die gevoelens wederzijds waren? Ze had hen maar even samen gezien.

Het was geweest of ze een vonk had zien overspringen. Het was een effect wat Jasmin vaker op mannen had. Alleen, meestal lachte Jasmin erom en kwam zoiets van één kant. Maar deze keer leek het anders... Ze wilde graag dat haar vriendin bleef, maar of het verstandig was, dat was de vraag. Ze tuurde in gedachten naar buiten, waar het inmiddels helemaal donker was. Toch wilde ze niet voorstellen te vertrekken. „Zullen we nog koffie drinken?" vroeg Philip.

Ze knikte. „Vind je het niet prettig dat je vriendin er is?" vroeg hij.

„O ja, ik vind het geweldig. Ik voelde me daar soms eenzaam. Ik zou het alleen erg vinden als het huwelijk van Michael en Joanna in de problemen kwam door Jasmin."

„Is ze daar op uit?" vroeg hij.

„Dat niet. Maar ik heb het idee dat Michael haar erg graag mag en dat het wederzijds is."

Philip fronste. „Het huwelijk van die twee is zeker niet ideaal. Daar kun jij je vriendin niet de schuld van geven. Maar zonder Michael raakt Joanna totaal de kluts kwijt. Dan grijpt ze weer naar de fles. Michael is haar steun en toeverlaat. Maar hij is zeer integer, hij zal haar niet zomaar in de steek laten."

„Hij offert zijn leven eigenlijk op," meende Marit.

„Misschien is dat wel zo. Het is niet vreemd dat hij zich aangetrokken voelt tot Jasmin. Ze is zo levend en sprankelend, ze heeft duidelijk een sterke persoonlijkheid. Dat moet hem wel aantrekken. Ik heb al heel lang het gevoel dat het alleen Emma is, waarom hij bij Joanna blijft."

Dat is zeker geen goede basis, dacht Marit. Ze keek op haar horloge en zag tot haar schrik dat het al half twaalf was geweest. „We moeten weg," zei ze. „Straks is het hek op slot en dan kan ik niet binnen. Ik moest al eerder over het hek klimmen."

„En daar ben je nu te oud voor," plaagde hij. Hij zei geruststellend: „Ik heb een sleutel. Er is ook nog een andere mogelijkheid. De bank in de cottage staat er nog steeds. Er is trouwens ook een bed."

„Het lijkt me beter als ik naar de Fairiesgarden ga. Waarschijnlijk krijg ik toch al de wind van voren."

„Je bent volwassen. Je hoeft je de les niet te laten lezen," zei Philip kalm. „Maar het is je eigen keus."

Wat later passeerde hij de cottage zonder zelfs maar af te remmen. „Ga je hier straks zelf slapen?" vroeg ze.

„Dat lijkt me wel verstandig."

„Ben je nu boos?" aarzelde ze.

„Waarom zou ik boos zijn. Onze tijd komt nog wel, denk je niet? Je hebt voor vandaag wel genoeg meegemaakt. Ik hoop dat je de schrik van het dolen in een vreemde tuin een beetje kwijt bent." Hij stopte voor het hek en stapte uit om dat te openen. Toen liep hij met haar mee naar de voordeur, zijn arm losjes om haar schouders. „Wanneer is onze volgende afspraak? Zondag? We kunnen naar Lands End gaan hoewel het daar in het weekend erg druk is."

„Ik denk niet dat ik zondag weer weg kan," zei ze aarzelend. Hij legde een hand op haar schouder en hield haar staande. „Je hebt recht op vrije dagen. Joanna lijkt af en toe erg kwetsbaar, maar vergis je niet. Ze is zo taai als lianen. Als Michael zondag thuis is dan moet je weg kunnen. Maar ik bel je nog." Hij boog zich over haar heen en drukte zijn lippen op de hare. Protesteren zou weinig zin hebben, trouwens, dat wilde ze helemaal niet. Ze klampte zich aan hem vast of ze bang was dat hij elk moment zou kunnen verdwijnen. „Mijn lieve Marit," fluisterde hij. „Wat een schitterend idee van je om naar Engeland te komen.

„Beloof me dat je niet terug gaat naar Nederland?"

„Dat ligt niet in de bedoeling," mompelde ze. Waarom zou ze weggaan. Ze wilde bij deze man blijven. Ze had nu al het gevoel of ze hem jaren kende.

Plotseling flitste het licht boven de voordeur aan. Marit maakte een schrikbeweging, maar Philip hield haar stevig vast. Het was Joanna die de deur opende en naar hen keek. „Dacht ik het niet? Hemel Philip, waar ben je mee bezig? Dat zij zich als een sloerie gedraagt. Maar ik achtte jou meer heer en..."

„Houd onmiddellijk je mond, Joanna. Wij gedragen ons als twee mensen die verliefd zijn. Dat is alles. Moet ik jou aan je bezoekjes aan James herinneren? Ga naar bed en waag het niet Marit hier op aan te spreken. Zij heeft zondag vrij, reken daar maar vast op." Hij liet Marit los die zich ineens onzeker voelde. Ze liep langs Joanna naar binnen en ging snel de trap op naar haar kamer, draaide de deur achter zich op slot. Ze wilde eigenlijk alleen aan Philip denken, maar nu was Joanna er weer tussen gekomen.

„Leuke avond gehad?" klonk het uit het andere bed.

„Jasmin, heb ik je wakker gemaakt?"

„Ik was wakker, om allerlei redenen. Maar hoe is vandaag verlopen?"

„Het was een bijzondere dag. Maar het eerste deel zou ik toch niet willen overdoen." Waarop ze vertelde hoe ze verdwaald was in de Jungle-tuin.

„Toch een vreemd land," reageerde Jasmin. Kastelen en huizen waarin het spookt. Geheimzinnige tuinen. Ben je verliefd op Philip?"

„Nou, ik… ja dat zou best wel kunnen," reageerde Marit.

„Ja dus. Nou dan zitten we in hetzelfde schuitje."

„Michael?" vroeg Marit hoewel ze het antwoord al wist.

„Ja, het is niet anders. Ik kan hier dus niet veel langer blijven. Ik heb nu net een nare ervaring achter de rug met een getrouwde man."

„Weet je het wel zeker? Het is zo snel na die ander," waagde Marit.

„Het is niet zoals met Nick. Dit gaat veel dieper." Marit zweeg een moment. Ze wist hoe licht ontvlambaar haar vriendin was. Ze klonk nu serieus, maar zo was ze met Nick ook geweest. Zo serieus dat ze voor hem deze baan had laten schieten. „En Michael?" vroeg ze na een ogenblik stilte.

„Hij… ik denk dat hij het ook zo voelt. Maar hij is met handen en voeten gebonden aan Joanna."

„En aan Emma," zei Marit.

„En Emma. Ik denk niet dat hij een type is dat voor zichzelf kiest. Ik wil hier echter nog blijven tot mijn reportage is geaccepteerd. Of niet. Het kan ook nog dat ik er iets aan moet veranderen. En dat kan alleen als ik hier blijf."

„En Nick is helemaal uit beeld?" vroeg Marit.

„Ja, in feite wel. Nu ik Michael heb leren kennen, is hij niet meer dan een vage herinnering."

Leren kennen, hoe kan dat na tien dagen, vroeg Marit zich af.

Ze zei echter niets. Hoewel mannen aan de lopende band verliefd werden op Jasmin, was het niet zo dat haar vriendin daar voortdurend op in ging. Ze flirtte, gedroeg zich vrolijk, maar het was zeker niet zo dat Jasmin aan de lopende band gebroken harten achter zich liet.

„Ik vraag me af of ik nog voor enkele weken een ander logeeradres moet zoeken," hoorde ze Jasmin zeggen.

„Er is toch niets tussen jullie gebeurd? Je doet er het beste aan hem te ontlopen."

„Ja hoor. Fantastisch, wat een idee! Terwijl we onder hetzelfde dak slapen. Terwijl we samen aan de ontbijttafel zitten. Terwijl hij nu bij zijn vrouw is."

„Lieve help, is het zo erg? Nou ik kan je geruststellen, hij slaapt niet bij zijn vrouw. Ze hebben aparte kamers."

„Dat is niet te geloven!" Jasmin kwam half overeind.

„Als je plannen hebt naar hem toe te gaan…" begon Marit, die al zag gebeuren dat Jasmin de slaapkamer van Michael zou binnengaan. En dan zou zeggen: „Ik hoorde dat je ook alleen was."

Jasmin grinnikte. „Jij denkt echt dat ik ze niet allemaal op een rijtje heb." Tot Marits geruststelling ging ze weer liggen. Ze viel vrij snel in slaap terwijl Jasmin wakker lag.

Wat moest ze doen? O, ze wist wel wat het enige juiste was: vertrekken en niet meer terug komen. Maar ze wist heel zeker dat ze Michael van Kempen niet meer zou vergeten. Moest ze hen beiden niet een kans geven? Zei men tegenwoordig niet, je moet aan jezelf denken? Luister naar je gevoel. Nou, als ze dat werkelijk deed dan ging ze nu naar hem toe. Hij leidde een eenzaam bestaan. Joanna hield niet van hem, daar was ze zeker van. Maar ondanks dat wilde Joanna houden wat ze had, daar was Jasmin eveneens van overtuigd.

Toen ze schuifelende voetstappen op de gang hoorde, schoot ze weer overeind. Marit had haar verteld over oom Stanley en zijn gewoonte om 's nachts rond te dwalen. Maar het klonk angstaanjagend. Het leek wel of hij iets meesleepte. Misschien was het oom Stanley niet, maar een geest met kettingen. O, ze had niet naar die horrorfilm moeten kijken, enkele dagen terug. Ze gleed haar bed uit en luisterde aan de deur. De voetstappen verwijderden zich. Zachtjes liep ze naar het raam, de tuin was donker maar ze zag wel de omtrek van bomen. Vlakbij haar raam onder een boom leek het of er iemand stond. Ze schoof het gordijn opzij. Zie je wel, de figuur bewoog, hij of zij ging wat verder in de schaduw staan. De persoon wilde dus niet gezien worden. Hoe kon Marit zo rustig slapen? Nu kwam hij weer tevoorschijn. In het donker zag ze het gloeiende puntje van een sigaret. Plotseling hoorde ze het kraken van een deur beneden. Jasmin hield haar adem in. Er kwam iemand naar buiten, een figuur in lichte kleren, het leek of de persoon over het gras zweefde. Er was echter niets bovennatuurlijks aan, dacht Jasmin ineens woedend. Het was Joanna die naar haar minnaar toeging. Gaf ze werkelijk de voorkeur aan James boven Michael? Nu was het blijkbaar niet van belang dat Emma alleen was. Jasmin zag dat ze met de armen om elkaar heen stonden. Ze trok de gordijnen dicht, ze wilde hier niets mee te maken hebben. Het was natuurlijk wel erg dat Michael zo voor gek werd gezet. Ze nam tenminste aan dat hij van niets wist. Hoewel hij had laten doorschemeren dat hij niet helemaal onwetend was. Aparte slaapkamers, welke reden gaf Joanna daarvoor op? Emma misschien?

Ze zat op de rand van haar bed. Het was hier vreselijk warm. Ze kon het raam openzetten. Misschien zouden die twee haar horen, maar wat maakte het uit? Het raam bleek echter vast te zitten. Ze wilde niet teveel herrie maken omdat ze Marit niet wakker wilde maken. Toen klonk ineens een tikje op de deur en een stem die fluisterend vroeg: „Is alles goed?"

Jasmin stond even roerloos, opende dan de deur en glipte de gang op. Daar stond Michael. „Ik heb het zo warm en krijg het raam niet open," fluisterde ze.

„Ik zal er morgen naar kijken", antwoordde hij even zacht. „Je kunt de tuin ingaan om af te koelen. Het is een zwoele nacht."

Nu pas zag ze dat Michael volledig gekleed was. „Ik heb enige tijd op het terras gezeten," zei hij kalm. Misschien was hij het wel die onder die boom had gestaan, dacht Jasmin. Ze had zonder meer aangenomen dat het James was. Maar het kon ook Michael zijn geweest, met een vrouw. Plotseling pakte hij haar hand. „Je bent onrustig. Ben je ergens van geschrokken?" vroeg hij vriendelijk.

„Ik hoorde iets op de gang," zei ze.

Hij knikte. „Oom Stanley. Hij sleept op het moment een bezem met zich mee. Ik heb hem ook gehoord."

„En toen zag ik iemand in de tuin," ging ze roekeloos verder.

„Ja, die heb ik ook gezien," zei hij op dezelfde rustige toon. Ze keek hem aan maar kon in het halfdonker zijn gezicht niet goed onderscheiden. „Waarom?" begon ze, zweeg dan.

„Laten we naar binnengaan voor ze terugkomt," zei hij.

„Dat je dit allemaal neemt," kon ze toch niet nalaten te zeggen.

„Dat is het enige wat haar van de drank afhoudt, voor zolang het duurt. Ik heb niets meer met haar Jasmin. Het is om Emma. Ik kan dat kind niet aan haar overlaten."

Ze hoorden nu gerucht beneden en Michael knikte naar de deur van haar kamer. „Ga nu. Ik weet dat het moeilijk te begrijpen is. We spreken elkaar nog."

Jasmin sloot de deur zorgvuldig achter zich en gleed geruisloos in haar bed. „Ben je toch naar hem toe geweest?" klonk het uit het andere bed.

„Ik kwam hem op de gang tegen."

„Midden in de nacht?"

„Ik vertel je er nog over."

Marit draaide zich op haar zij. Als Jasmin zo doorging kon ze hier niet blijven en zijzelf waarschijnlijk ook niet. Waarom moest haar vriendin altijd over grenzen gaan?

De volgende morgen was Michael al vroeg vertrokken, tot opluchting van Jasmin. Ze wist niet hoe haar houding tegenover hem moest zijn. Stel dat hij gemerkt had dat zij verliefd op hem was.

Ze begon met het dekken van de tafel. Toen Marit beneden kwam zei deze: „Ik breng Joanna's ontbijt wel boven."

„Eigenlijk zou je dat gewoon moeten weigeren," meende

Jasmin. „Wij hoeven toch niet mee te doen aan dergelijke onzin."

„Er zijn hier meer zaken waar ik het niet mee eens ben," reageerde Marit. „Maar ik ben hier om de taken te doen die mij worden opgedragen. Niet om zaken te veranderen."

Jasmin zei niets, maakte het ontbijt klaar voor oom Stanley die aan tafel was geschoven.

„U was vannacht weer aan de wandel," zei Jasmin.

Hij keek haar aan. „De nacht is voor het ongedierte." Hij was het natuurlijk alweer vergeten.

Ineens schrokken ze op door lawaai boven. Er viel iets om, ze hoorden de woedende stem van Joanna en het gehuil van Emma. Dat gebeurde eigenlijk nooit en beide meisjes keken gespannen naar de deur, die even later opensloeg. Marit zette haar blad met Joanna's ontbijt haastig neer, toen Emma naar binnen stoof, recht op haar af, terwijl ze haar gezicht tegen haar aan drukte. Marit streelde het donkere haar. „Stil maar. Wat is er gebeurd?" suste ze.

„Zij heeft me geslagen." Het kind wees op een vuurrode plek op haar wang. Marit keek haar ongelovig aan. „Waarom heeft mamma dat gedaan?" vroeg ze zacht.

„Omdat ze niet luistert," klonk het vanuit de deuropening. Joanna stond op de drempel, haar anders zo fletse blauwe ogen flikkerden boos. „Ze wil per se met een van jullie naar buiten. Ik wil het niet hebben."

„Het is prachtig weer," begon Jasmin te protesteren.

„Ze blijft binnen."

„Nee, ik vind jou stom. Ik wil niet bij jou zijn," schreeuwde het kind over haar toeren.

Joanna liep naar haar toe, en als in een soort vertraagde film hief ze opnieuw haar hand om Emma een mep te geven, maar het bleef bij een duwtje. Emma verloor haar evenwicht en viel tegen de tafelpoot. Een dun straaltje bloed drupte van boven haar wenkbrauw. Marit wist dat het ernstiger leek dan het was, maar ze keerde zich woedend naar Joanna. „Wat mankeert jou?"

„Jij hoeft je er niet mee te bemoeien."

Joanna zakte door een knie, streelde Emma's arm. „Het spijt

me, liefje. Het spijt me heel erg. Maar je moet naar mamma luisteren."

„Ik wil jou niet als mamma," schreeuwde het kind nu. Marit vroeg zich af van wie ze dat temperament had geërfd. Waarschijnlijk van haar onbekende vader, want behalve deze ene keer had ze Joanna nog nooit haar stem horen verheffen.

„En ik ga ook niet boven eten," riep Emma nu. Joanna zei niets meer. Ze ging aan tafel zitten en toen Emma de stoel pakte tussen Jasmin en Marit in, bleef ze zwijgen. Marit zag dat haar handen beefden. Was ze zo nerveus of had ze nu al gedronken?

„Het lijkt me verstandig als we met Emma wat spelletjes in de tuin doen," stelde Jasmin voor.

„Je wilt dus mijn gezag ondermijnen."

„Zeker niet. Je kunt toch meegaan. Het kind is in de tuin volkomen veilig. Waar ben je bang voor?"

„Ze kan ontvoerd worden," zei Joanna tot haar verbazing. „Er worden regelmatig kinderen ontvoerd. Pas nog twee meisjes."

„Maar toch niet uit een omheinde tuin/ Ben je bang dat haar vader haar zoekt?"

„Dat zou heel goed kunnen," zei Joanna. „Maar goed, ik ga wel mee naar buiten." Later hoorden ze haar tegen het kind praten. „Je hebt je niet goed gedragen. Je weet dat mamma van je houdt. Maar als je niet luistert kan mamma niet van je houden."

„Ze is gestoord," fluisterde Jasmin. „Goed dat Michael dit niet hoort."

Toen ze later buiten waren nam Jasmin enkele foto's. Ze had via een e-mail haar stukjes al opgestuurd. De foto's gingen apart in een enveloppe. Ze mocht van Michael zijn computer gebruiken, maar nadat Joanna had gevraagd wat ze in Michaels kamer deed, beperkte ze dat zoveel mogelijk.

„Ik wil niet dat jullie Michael vertellen wat er vanmorgen gebeurde. Dat doe ik zelf wel," zei Joanna op een gegeven moment.

Na een ogenblik van stilte, reageerde Jasmin: „Als ik het

gevoel krijg dat Emma mishandeld wordt zal ik dat zeker melden."

„Ben je gek geworden? Ze is mijn kind, je hebt er niets mee te maken hoe ik haar opvoed," zei Joanna heftig.

„Ik weet door gebeurtenissen in Nederland, dat mensen soms te lang wachten om aangifte te doen," zei Jasmin.

„Aangifte? Heb je het over de politie?" Joanna was doodsbleek geworden.

„Niet direct," suste Marit.

„Het punt is dat kinderen weerloos zijn en niet voor zichzelf kunnen opkomen," zei Jasmin. Ze liep terug het huis in en even later volgde Joanna haar. Ze hoorde Jasmin telefoneren en luisterde aan de deur van haar kamer. Haar stem klonk geschokt. Kon ze nu maar beter Nederlands. Maar Jasmin zou vast geen Nederlandse politie bellen. Toch? Ze hoorde haar wel Emma's naam noemen. Waar had ze het over? Joanna kneep haar handen ineen. Dat mens moest hier weg. En snel ook.

Maar ze liet zich niet zomaar wegsturen. Dat zou Michael trouwens ook niet toestaan. Hij was erg gecharmeerd van Jasmin. Dat was haar wel duidelijk geworden. En Philip leek die ander bijzonder te waarderen. Ineens was zijzelf totaal niet meer belangrijk. Michael en Philip hadden altijd voor haar klaargestaan. Joanna wilde niet dat daar verandering in kwam. Daar bij vreesde ze Jasmins bemoeizucht. Natuurlijk, ze had Emma niet moeten slaan. Maar ze had ineens gezien dat het kind haar ontglipte. Door de twee meisjes had Emma ingezien dat het leven anders kon zijn, prettiger voor haar. Ze werd steeds opstandiger, ze wilde voortdurend naar buiten. Over een jaar moest het kind naar school. Dan zou ze haar invloed op Emma steeds meer verliezen. Ze zou misschien de school nog enige tijd kunnen uitstellen, omdat ze afgelegen woonden. Men zou misschien genoegen nemen met het feit dat ze thuis les kreeg.

Dat was ook één van de redenen waarom ze had toegestemd dat er iemand in huis kwam. Maar alles leek wel uit de hand te lopen.

Joanna bleef die dag beneden en wel voortdurend in de buurt

van Jasmin, wat deze buitengewoon hinderlijk vond. Er was iets wat ze grondig wilde uitzoeken en daarvoor moest ze mailen en bellen. Maar met Joanna steeds binnen gehoorafstand was dat onmogelijk. Ze wilde ook dolgraag met Marit praten maar ze werd geen moment alleen gelaten.

Toen ze met Emma buiten was, kwam Marit in haar buurt en ze fluisterde: „Ik moet je spreken. Het is belangrijk."

„Je zult moeten wachten tot vanavond," zei Marit even zacht. Uiteindelijk legde Jasmin zich bij de situatie neer. Het kwam wel in orde. Die halve dag maakte ook niet veel uit.

Toen Joanna in de keuken verdween voor de avondmaaltijd, vroeg ze Jasmin haar te helpen. Het gaat echt om mij, dacht de laatste. Ze maakt zich waarschijnlijk druk om hetgeen ik zei over de politie. Nou, ze was echt niet van plan bij een instantie aan de bel te trekken omdat het kind een mep had gekregen. Eerst maar eens afwachten of dit een incident was of dat het vaker ging voorkomen. Maar als ze op deze manier reageerde als Emma een keer tegen haar inging, dan was ze niet bepaald geschikt als opvoedster.

Intussen maakte ze stilzwijgend de salade klaar, terwijl Joanna zich met het vlees bezig hield.

Het viel Jasmin op dat Joanna's handen beefden. Er stond een glas wijn binnen handbereik waar ze geregeld een slokje van dronk. „Wil je ook?" vroeg ze.

Jasmin schudde het hoofd. „Ik drink zelden, alleen op een feestje."

„Ik drink vaak," zei Joanna onverwachts openhartig. „Mijn leven is namelijk niet echt prettig. Een man die niet echt van mij houdt. Een kind dat steeds moeilijker wordt. Het is een eenzaam bestaan. Het is dus begrijpelijk dat ik af en toe drink, vind je niet?"

Ze vulde haar glas bij en keek Jasmin uitdagend aan. Ze was op het randje van dronken, dacht deze.

„Je weet toch dat Michael niet van me houdt?" zei Joanna weer. „Natuurlijk weet je dat, want jij… ach, laat ook maar. Ik moet je wel teleurstellen. Vanwege Emma zal hij me nooit in de steek laten."

Ze verdween met een stapeltje borden naar de kamer. Zo

lagen de zaken dus, dacht Jasmin. Ondanks Joanna's vaak zelf gekozen afzondering had ze alles in de gaten. En ze had gelijk. Michael zou het kind nooit aan zijn vrouw overlaten. Maar dat zou zijzelf ook niet willen. Welk leven kreeg het kind dan? Als ze dit alles overdacht wist ze echter dat ze hier niet kon blijven. Ze wilde echter eerst duidelijkheid over de zaak waar ze vanmorgen over gebeld was.

En het kon wel even duren voor ze daar nader bericht over kreeg.

Michael kwam juist voor het eten binnen. Zoals gewoonlijk legde Emma als eerste beslag op hem. Joanna keek het zwijgend aan. Meestal leidde ze de aandacht van het kind al snel af, maar deze keer zei ze niets. Ze leek afwezig en Jasmin zag dat Michael haar af en toe opmerkzaam opnam. Hij zou wel door hebben dat ze flink had gedronken, dacht Jasmin.

„Dat kind is dus weer geslagen," zei oom Stanley, zonder van zijn bord op te kijken. Hoewel er op dat moment niet werd gesproken leek het of er plotseling een nog diepere stilte neerdaalde.

Michael streek Emma's haar weg. Zijn vinger raakte even het wondje boven haar wenkbrauw.

„Er was bloed," zei Emma ernstig.

Michael keek zijn vrouw aan. „Je gaat te ver. Ik heb je gewaarschuwd," zei hij koud.

„Nee Michael, ik hoef niet opgenomen te worden. Het was niets, een ongelukje, ze viel tegen de tafel."

„Zonder enige reden viel ze zomaar tegen de tafel. Dan moeten we met haar naar de dokter."

„Ze duwde mij," zei Emma die het interessant begon te vinden.

„Ik heb je gewaarschuwd," zei Michael voor de tweede keer.

„Je kunt mij nergens toe dwingen. Het was een ongeluk."

„Kan zijn. Maar het volgende ongeluk heeft mogelijk ernstiger gevolgen."

„Je moet kinderen niet slaan," deed oom Stanley een duit in het zakje. Marit zag de verslagen uitdrukking op Joanna's gezicht en kreeg ineens medelijden. Ze moest zich wel erg alleen voelen. „De val tegen de tafel was een ongeluk," zei ze.

„Emma heeft er verder geen last van gehad."

De dankbaar verbaasde blik van Joanna maakte dat ze zich schaamde. Ze stonden allemaal met opgeheven vingertje. Maar Joanna was diep ongelukkig en had hulp nodig. Dat moest toch de anderen ook duidelijk zijn.

„We zullen de zaak laten rusten," zei Michael.

Marit ving Jasmins blik op en zag dat deze naast verbaasd ook woedend was. Haar reactie zou vast niet lang uitblijven. Jasmin negeerde haar echter de rest van de avond. Marit probeerde zich daar niets van aan te trekken. Als ze het goed had begrepen was Jasmins verontwaardiging over de tik die Emma had gekregen, niet helemaal zonder bijbedoelingen. Ze gingen gelijktijdig naar boven. Marit vroeg zich af hoe ze een gesprek moest beginnen, toen Jasmin zei: „Weet je wat ik vind?"

„Nee, maar dat zal ik snel genoeg weten," antwoordde Marit droog.

„Hoe haal je het in je hoofd om dat mens te verdedigen. We waren het erover eens dat ze drinkt, gestoord is en een gevaar voor het kind is."

„Ik vond het niet terecht dat ze zo werd aangevallen. Het is een zaak tussen Michael en zijn vrouw. Wij hebben er niets mee te maken. Misschien zou hij eens wat vaker thuis moeten zijn."

„Jij spreekt vanuit een comfortabele positie. Verliefd op een leuke man en hij op jou. Ik heb wel eens gehoord dat je in een dergelijke situatie wenst dat iedereen gelukkig is. Heb je in dat verband ook aan mij gedacht?"

„Ik gun je alle geluk van de wereld. Maar ik vind niet dat je dit huwelijk moet ondermijnen omdat je Michael wel ziet zitten. Hij is getrouwd, hij heeft een kind, zoiets kan alleen maar problemen geven."

„Wat ben je weer onuitstaanbaar braaf," viel Jasmin uit.

Marit zuchtte. „Dat wil ik helemaal niet zijn."

„Als mijn levensgeluk nou eens hier ligt," opperde haar vriendin.

„Maar Joanna en het kind dan? Kun je die zomaar terzijde schuiven?"

„Zij heeft James nog. Als Philip in een dergelijke situatie zat, zou je dan…"

„Ik weet het echt niet, Jasmin." Marit schoof haar bed in. „Ik hoop van niet."

„Zal ik je nog eens wat vertellen. Joanna heeft waarschijnlijk een misdaad gepleegd. Ze hoort in de gevangenis."

„Maak het niet nog erger," zei Marit die Jasmins rijke fantasie kende.

„Zodra ik meer weet hoor je ervan," klonk het nog uit het andere bed. Marit zei niets meer. Haar vriendin was echt aan het doordraven. Ze had het duidelijk te pakken van Michael. En voor haar gold: in liefde en oorlog was alles geoorloofd. O, ze wilde niet zo braaf overkomen. Maar zij had de verloren blik in Joanna's ogen gezien.

HOOFDSTUK 9

Toen Marit de volgende morgen haar ogen opende zat Jasmin tot haar verbazing al aangekleed op de rand van haar bed. Meestal was zijzelf het eerst op. „Je bent vroeg," zei ze, vastbesloten om weer gewoon te doen.

„Klopt. Ik moet veel doen vandaag. Ik weet alleen niet zo goed hoe ik een en ander moet aanpakken. Ik ben iets op het spoor en als het waar is zullen de levens van de mensen hier compleet overhoop worden gehaald.

Marit zag dat ze volkomen serieus was. „Wees voorzichtig," zei ze. En even later: „Als je erover wilt praten...

„Dat wil ik wel. Maar ik weet nog te weinig. „Marit zag dat ze heel graag iets wilde zeggen maar niet goed durfde. „Je kunt mij heus vertrouwen," zei ze nog.

„Is het mogelijk dat Emma geen kind is van Joanna?" vroeg Jasmin toen.

„Ja, dat is zelfs zeker," zei ze rustig. „Ze heeft Emma geadopteerd. Als ik het goed heb begrepen was er een vriendin in Nederland die jong is overleden. Zij heeft de zorg voor het kind op zich genomen."

„Maar hoe weet jij dat?"

Marit vertelde van het bezoekje van de dokter indertijd. „Hij wist natuurlijk niet dat ik hoorde wat hij zei. Dacht waarschijnlijk dat ik niet goed Engels sprak. In elk geval, Emma is niet van haar. Ik geloof dat Michael dat zelfs niet weet. Ze heeft hem nooit verteld dat zij geen kinderen kan krijgen. Philip heeft mij ook een en ander verteld."

„Wat is dit toch een raar huwelijk," zei Jasmin opstaand. „Denk je dat het waar is van die vriendin?"

„Waarom niet."

„Ze is volgens mij absoluut niet te vertrouwen."

„Kan zijn. Maar ik blijf erbij dat het niet onze zaak is. Als Michael zo weinig weet van zijn vrouw kun je je afvragen of hij wel ooit echt in haar geïnteresseerd was. Laten we er maar over ophouden. Ik ga douchen."

Jasmin stond geruime tijd voor het raam. Er waren nu twee mogelijkheden. Ze kon net doen of haar neus bloedde en de

110

zaak laten rusten. Of ze kon met de inlichtingen die ze uit Nederland had gekregen aan de slag en de zaak tot op de bodem uitzoeken. Maar dan zou ze Joanna enkele vragen moeten stellen. Marit zou het daar absoluut niet mee eens zijn, dat wist ze wel zeker.

Ze kon Michael inlichten maar hij zou mogelijk denken dat haar bedoelingen niet helemaal zuiver waren. Misschien was dat ten dele waar, maar ze wilde ook niet dat Michael zo werd bedrogen.

Daarnaast, als het waar was wat ze had gehoord, dan was er een misdaad gepleegd waar iemand het slachtoffer van was geworden. Ze kon eerst eens proberen of Joanna zelf niet wilde inzien dat ze zo niet door kon gaan. Als zijzelf deze zaak niet doorzette dan zouden er anderen komen. Het balletje was nu gaan rollen. En dat alles vanwege haar stukje en enkele foto's in een luxe tijdschrift.

Toen ze beneden kwam had Joanna de tafel al gedekt. Ook Emma was beneden. Jasmin trok even speels aan een donkere krul. „Ze is zo helemaal niet Engels," zei ze of het haar nu pas opviel.

„Hoe bedoel je?"

„Ze lijkt totaal niet op Michael of op jou."

„Ze lijkt op haar vader," zei Joanna kalm.

„Was hij een buitenlander?" was Jasmins volgende vraag.

„Hij was geen Engelsman," ontweek Joanna. „Wat ben je aan het doen, Jasmin? Mijn leven aan het uitpluizen?" Haar stem klonk een beetje schril.

„Natuurlijk niet," antwoordde Jasmin, hoewel dit precies was wat ze aan het doen was.

„Nou je mag het wel weten. Hij was een Somaliër."

„Dat zijn vaak mooie mannen," knikte Jasmin.

Joanna fronste. „Ik zou nooit iets met een man beginnen om zijn uiterlijk."

„Het oog wil ook wat," zei Jamin schouderophalend. Ze hoorde Marit de trap afkomen en zag van verdere vragen af. Joanna voelde zich duidelijk niet op haar gemak. Het kon allemaal waar zijn wat haar zojuist was verteld. Maar hoe zat het dan met de moeder van Emma?

111

Waarom had Joanna al die tijd verzwegen dat zij dat niet was, zelfs tegenover Michaël?

„Mijn moeder belde en vroeg of het mogelijk is dat ze hier enkele dagen logeert," zei Marit, na haar 'goede morgen'.

„Het wordt hier wel erg druk, vind je niet. Ik weet niet hoelang je vriendin nog van plan is te blijven."

„Als ik mijn werk heb afgerond, vertrek ik," zei Jasmin, in het midden latend wanneer dat zou zijn.

„Misschien kun je beter zelf naar Nederland gaan. Je bent hier nu drie maanden, je hebt recht op vakantie. Ik zou niet wachten tot de zomer voorbij is," wendde Joanna zich tot Marit.

Ze wil ons hier alle twee weg hebben, wist Jasmin ineens zeker. En als ze eenmaal waren vertrokken, zouden ze hier niet meer binnenkomen daarvan was ze ook overtuigd.

„Misschien over een paar weken," zei Marit vaag.

Even later ruimde Jasmin de tafel af en Joanna bleef in haar buurt. Het was of ze verwachtte dat ze met nog meer vragen zou komen, dacht Jasmin. Toen haar telefoon overging en ze de keuken uitliep volgde Joanna haar. Jasmin wierp haar een geïrriteeerde blik toe, maar vond het toch te gek om naar buiten te lopen. Dan zou Joanna zeker denken dat ze geheimen had.

„Met wie? Roelanda van der Meer? Aha, van de brief. Ja, ik begrijp het." Ze keek Joanna's richting uit en zag dat deze doodsbleek was geworden. Haar sproeten staken scherp af tegen haar bijna doorschijnende huid. Kende ze deze naam?

„Je wilde hierheen komen. Ja, dat staat je vrij natuurlijk. Ik begrijp het. Nou, ik denk erover wat het beste is en bel je nog terug."

Toen ze de verbinding verbrak staarde Joanna haar aan of ze een spook zag. Ze herstelde zich echter snel en zei tot Jasmins verbazing: „Zullen we een eind gaan lopen. Ik moet je iets vertellen. Marit kan bij Emma blijven."

Jasmin keek naar buiten waar de regen tegen de ramen sloeg. „We kunnen beter wachten tot het droog is," zei ze.

„Ben je wel eens op de verdieping van de garage geweest?" was Joanna's volgende vraag.

Jasmin schudde het hoofd.

„Dan moet je daar echt eens gaan kijken. Het uitzicht is prachtig. „Jasmin wilde zeggen dat er nu van het uitzicht niet veel te zien zou zijn, maar ze zweeg. Alles was gehuld in een grijze nevel. Maar mogelijk wilde Joanna haar inderdaad iets vertellen. En die kans kon ze niet voorbij laten gaan. Ze zag Marit in de tuinkamer. Emma was bij haar en luisterde naar een van haar favoriete verhaaltjes. Jasmin volgde Joanna binnendoor, vanuit de keuken naar de garage. De deur daarheen was afgesloten door een zwaar gordijn en deze was haar nooit eerder opgevallen. Achter de deur kwamen ze inderdaad in de garage waar ze opnieuw een afgesloten deur ontdekte. Direct daarachter was een smalle houten trap, aan het eind afgesloten door een luik. Joanna duwde ertegen, het kostte haar weinig moeite dit te openen. Ze is veel sterker dan ze doet voorkomen, dacht Jasmin. Ze volgde haar een kleine bergruimte op. Er stonden wat kisten en dozen en er was een klein raam, te hoog om doorheen te kijken. Jasmin vroeg zich af wat ze hier te zoeken hadden. Toen zei Joanna: „Je bent erg nieuwsgierig. Waarom stel je voortdurend vragen? Waarom heb jij je aan ons opgedrongen?"

„Ik heb het gevoel dat jouw leven een grote leugen is," antwoordde Jasmin, meer eerlijk dan verstandig. Ze zag even een flikkering in Joanna's ogen. „Wacht even," zei ze. Later zou ze niet meer kunnen zeggen waarom ze niet sneller had gereageerd. Haar enige excuus was dat ze Joanna nooit anders dan langzaam en zelfs een tikje sloom had zien handelen. Nu was ze in enkele seconden bij de trap, het luik viel dicht, ze hoorde grendels verschuiven en even later een deur dichtslaan. Hoewel Jasmin eerst de neiging had om te lachen om dit kinderachtige gedoe kwam ze er al snel achter dat niemand haar hier zou zoeken. Ze wist ook niet zeker of het zou helpen als ze veel herrie maakte. De muren waren dik. Ze zat dus flink in de problemen.

Maar dat Joanna niet zo onschuldig was als ze zich voordeed, was inmiddels ook duidelijk.

Ze had begrepen dat zij, Jasmin, iets te weten was gekomen en wilde koste wat kost voorkomen dat anderen daar ook achter kwamen. Maar ze kon haar hier moeilijk laten zitten. Misschien wilde ze haar uithongeren. Als niemand haar kon vinden, zou ze hier ten slotte in een skelet zijn veranderd. Hoelang kon een mens zonder drinken? Maar ze zouden haar natuurlijk missen en haar gaan zoeken. Hoewel, dat lag aan wat Joanna hen zou wijsmaken.

„Je vriendin moest ineens weg," zei Joanna op dat moment. Marit keek naar buiten waar de regen nog steeds tegen de ramen sloeg. „Is ze met de auto?" vroeg ze.

„Dat weet ik niet. Ze had grote haast." Joanna verliet het vertrek. Marit kon niet weten dat Joanna de auto van Jasmin verplaatste tot achter de garage, tussen de struiken. Joanna besefte heel goed dat hetgeen ze had gedaan niet voortkwam uit een weldoordacht plan. Maar ze zou zich er wel uit redden. Ze had in haar leven al zoveel moeten verzinnen.

Jasmin liet zich nergens door weerhouden, ook niet door slecht weer, dacht Marit op dat moment. Ze wilde kennelijk Joanna's verleden natrekken. Marit zuchtte. Als iedereen zich toch eens met zijn eigen zaken bemoeide. Dan zouden er een stuk minder problemen zijn. Jasmin had haar natuurlijk expres niets van haar plannen verteld. Ze wist dat zij daar niet achter stond. Toch miste ze haar vrolijke aanwezigheid die dag. En Michael duidelijk ook, want zij was de eerste waar hij die avond naar vroeg. „Is Jasmin er niet? Als ze wat later komt kunnen we met eten op haar wachten."

„Ze is in grote haast vertrokken," zei Joanna, om er liefjes aan toe te voegen: „Mis je haar?"

Michael negeerde dit. „Weet jij waar ze is?" vroeg hij Marit. Deze haalde de schouders op. „Ik verwacht haar in elk geval vandaag terug, want ze heeft niets meegenomen. Zelfs geen tandenborstel."

„Wat vreemd," mompelde Michael.

„Denk je niet dat ze voor zichzelf kan zorgen?" vroeg Joanna duidelijk geërgerd. Michael zei er niets meer over, maar de zorgelijke blik in zijn ogen bleef.

Toen hij na het eten de tuin inliep, begreep Marit dat hij haar vriendin ging zoeken. Was hij bang dat haar iets was overkomen? Als hij wist dat ze bezig was iets na te gaan wat wel eens nadelig zou kunnen uitpakken voor zijn vrouw, zou hij zich misschien nog ongeruster maken.

Maar dat kon en wilde ze hem niet vertellen. Toen Jasmin die avond niet thuiskwam begon ze zich echter ook ongerust te maken. Ze had zelfs haar mobiel niet meegenomen. Waar kon ze zijn?

Marit had zich al klaargemaakt om naar bed te gaan en zat in haar T-shirt voor het raam, toen er geklopt werd. Hoopvol opende ze de deur. Het was Michael. „Mag ik binnenkomen?" Ze knikte. „Ik maak me ongerust over je vriendin. Zelfs haar jas en paraplu hangen aan de kapstok. En het regent al de hele dag."

„Dat is inderdaad vreemd. Maar Jasmin is erg impulsief. Ze kan iets gehoord hebben, telefonisch bijvoorbeeld, waarvoor ze plotseling weg moest. Ik weet dat ze enkele telefoontjes uit Nederland kreeg."

„Maar zelfs als dat waar is, dan zou ze toch wel iemand inlichten? Jou toch zeker?"

Marit wilde niet zeggen dat ze verschil van mening hadden gehad. Dan zou hij mogelijk willen weten waarover. Toen zei ze: „Weet je zeker dat Joanna er niet meer van weet? Ze mag Jasmin niet. Ze weet natuurlijk van jouw sympathie voor haar." Ze hield abrupt haar mond. Ging ze nu te ver?

„Ik zal het haar vragen," zei Michael zonder op het laatste in te gaan. „Er kan een ongeluk zijn gebeurd. Stel dat ze in de rivier is gevallen."

„Jasmin is veel te behendig voor zo'n stom ongeluk," zei Marit beslist. Tenzij iemand haar geduwd had. Joanna? Nu ging ze toch werkelijk spoken zien. Ze hoort in de gevangenis, had Jasmin over haar gezegd. Als Jasmin haar met iets misdadigs uit haar verleden had geconfronteerd, hoe zou Joanna dan hebben gereageerd? Misschien had ze er op de een of andere manier voor gezorgd dat Jasmin niets meer kon uitrichten. Nee, nu ging haar fantasie met haar op de loop. „Je maakt je ook zorgen," constateerde Michael.

Ze knikte. „Maar wat kunnen we nu doen? Tenzij we de politie willen inschakelen."

„De eerste vierentwintig uur ondernemen zij geen actie.

Jasmin is een volwassen vrouw, zullen ze zeggen. Maar ik heb het gevoel dat er iets met haar gebeurd is."

„Ze komt vast wel weer boven water," zei Marit, tegelijk beseffend dat dit een nogal vreemde opmerking was gezien Michaels angst dat ze in de rivier was gevallen. Toen hij ten slotte aanstalten maakte om weg te gaan, vroeg ze zacht: „Michael, houd je van Jasmin?"

Hij keek haar aan. „Ik vrees van wel," zei hij ernstig.

„En je vrouw en kind dan?"

Hij maakte een hulpeloos gebaar met zijn handen. „Ik weet dat het onmogelijk is. Maar het feit ligt er nu eenmaal. Ze weet het niet gelukkig."

„Jasmin? Natuurlijk weet ze het," zei ze stellig.

„Denk je dat ze daarom is weggegaan?" vroeg hij geschrokken.

„Nee. Daarvoor loopt ze niet weg. Laten we morgenochtend uitgebreid gaan zoeken."

Hij knikte. „Ik zal Philip ook vragen te komen."

Hoe moest dit aflopen? dacht Marit toen hij weg was. Ze begon zich nu toch ernstig ongerust te maken. Maar als ze er dan aan dacht dat Jasmin twee dagen en nachten in een zomerhuisje had doorgebracht en uiteindelijk midden in de nacht, via een boom, haar kamer was ingeklommen, dan dacht ze weer: Jasmin redt zich overal uit. Het komt vast goed.

Hoewel ze er op gehoopt had, kwam Jasmin die nacht niet opdagen en de volgende morgen kon Marit nauwelijks eten. Michael had naar zijn werk gebeld en bleef thuis. Ze zouden nu serieus gaan zoeken. Joanna kwam ook beneden, waarschijnlijk zag ze in dat niemand haar ontbijt boven zou brengen.

„Wanneer zag je haar voor het laatst?" vroeg Michael haar.

„Lieve help, Michael, schrijf het op, want nu is het echt de laatste keer dat ik het zeg. Ik was in de keuken toen ze vertrok. Ze had duidelijk haast. Ik vroeg wanneer ze terugkwam maar ze haalde de schouders op. Erg beleefd was ze al nooit. Ze had alleen een T-shirt en een spijkerbroek aan."

„Ging ze zo de regen in?" vroeg Marit.

„Misschien lag er een jas in haar auto," veronderstelde Joanna.

Was dat zo? Marit probeerde zich te herinneren wat er in de kofferbak lag. Mogelijk een regenjack. „Laten we daar maar vanuit gaan," zei ze tot Michael.

Na het ontbijt kwam Philip. Marit was enorm blij hem te zien en hij drukte ongedwongen een kus op haar wang. „Er is hier sprake van een vermissing," zei hij, duidelijk niet helemaal serieus. Michael vertelde hem hoe de zaken ervoor stonden. Marit dacht, ik ga hem vertellen dat Jasmin iets op het spoor was. Ik ga hem vragen of Joanna tot iets misdadigs in staat is.

„Laten we de tuin maar eens doorzoeken," stelde Philip voor. „Misschien is ze gevallen en heeft ze haar voet verzwikt of iets dergelijks."

Het moest al heel erg zijn wilde Jasmin niet in staat zijn hierheen te komen, meende Marit. Toen dacht ze weer aan de vrij steile helling die afliep naar de rivier. Gisteren, met al die regen, was het daar natuurlijk glad geweest. Maar waarom zou ze die kant uitgaan, wat had ze daar te zoeken? Als haar vriendin niet verliefd was op Michael zou ze nog kunnen denken dat er een man in het spel was. Dat ze bijvoorbeeld een afspraak had en bij hem was gebleven. Maar het mocht dan zo zijn dat Jasmin snel verliefd werd, op twee mannen tegelijk leek Marit toch erg onwaarschijnlijk. Jasmin was luchthartig en vrolijk, maar zeker geen losbol. Of zou ze een ontmoeting hebben gepland met iemand die meer wist over Joanna?

„Kom, laten we gaan. Tenzij al dat nadenken iets concreets heeft opgeleverd," zei Philip.

Een beetje verward keek ze hem aan, realiseerde zich toen dat ze al vijf minuten stond te staren. Even later liep ze met Philip de tuin in.

„Laten we eerst maar eens naar die zomerhuisjes gaan. Daar heeft ze immers al eerder de nacht doorgebracht? En mogelijk heeft die James iets gezien?" Ze liepen even zwijgend voort. Toen zei Philip: „Er is een en ander aan de hand waar jij meer van weet. Heeft je vriendin ruzie gehad met Joanna?"

„Jasmin maakte zich erg kwaad omdat Joanna haar dochter

een mep gaf. Joanna vond dat ze daar niets mee te maken had. Er was dus wel een woordenwisseling. Joanna wilde dat Jasmin vertrok en zij beweerde dat ze eerst iets moest afmaken. Tegen mij zei ze dat ze iets te weten was gekomen over Joanna. En dat zou alle levens hier op zijn kop zetten. Toen ik zei dat ze zich nergens mee moest bemoeien, kregen wij ook min of meer ruzie. Maar dat was weer bijgelegd toen ze vertrok." Marit besefte dat ze opgelucht was dat Jasmin weer gewoon had gedaan. Hield ze er toch rekening mee dat er iets gebeurd was?" Ze zei nog dat ze een en ander moest uitzoeken en ik waarschuwde dat ze voorzichtig moest zijn. Ze had namelijk gezegd dat Joanna tot iets gevaarlijks in staat was. Acht jij haar in staat tot iets misdadigs?"

„Ik ken haar al mijn hele leven. Ze heeft nooit iets misdadigs gedaan," zei Philip strak.

„Dat is geen garantie. Jij weet vast niet alles over haar."

„Jij wilt haar per se als het kwaad zelf zien. Joanna is labiel, ze is eenzaam en soms drinkt ze teveel, maar dat maakt haar nog niet gevaarlijk."

Marit antwoordde niet. Ze weigerde nog te geloven in het beeld van Joanna, als hulpeloos onschuldig vrouwtje. Ze had enkele malen de kille blik in haar ogen gezien.

Aan het eind van de tuin, waar het pad naar de zomerhuisjes begon, bleef Philip staan en keek om zich heen. „Laten we eens roepen," stelde hij voor. Hun stemmen klonken luid in het stille bos. Enkele vogels vlogen verschrikt op. Onverhoeds schoten Marit de tranen in de ogen. „Ik ben bang," fluisterde ze. Philip legde zijn arm om haar heen.

„Je vriendin lijkt me tamelijk roekeloos en onbesuisd. Maar ze is ook een type dat zichzelf wel redt."

„Ze had al ontdekt dat Emma niet Joanna's kind is," zei Marit.

„O ja? Bijna niemand weet dat, zelfs Michael niet. Hoe komt zij aan die informatie, denk je?"

Marit haalde de schouders op. „Ze kwam er mee en ik heb het bevestigd. Ik heb je indertijd verteld dat ik die arts erover hoorde praten. Maar verder heb ik het niemand verteld. Vind jij dat normaal dat Michael dat niet weet?"

„Dat is een zaak tussen hen beiden. In het begin heb ik haar wel eens gezegd dat ze het moest vertellen. Maar ze weiger-de, was bang dat hij een scheiding zou overwegen als hij wist dat ze geen kinderen kon krijgen. Michael is dol op kinderen."

„En daarom loog ze, ook over het feit dat ze zwanger was. Dit alles maakt haar toch tot een onbetrouwbaar schepsel."

Philip antwoordde niet en ze begreep dat hij er moeite mee had Joanna, die hij zijn hele leven had beschermd, nu af te vallen.

Toen ze de huisjes zagen liggen, bleef Philip opnieuw staan. Er was geen teken van leven. Marit liep naar de woning waar Jasmin indertijd enkele dagen had doorgebracht. Ze rammelde aan de deur en tuurde door het raam. Het zag er niet naar uit dat hier kortgeleden iemand was geweest. Toen ze om het huisje heenliep ging de deur van de andere woning open en kwam James naar buiten. „Zoeken jullie iets?" Het klonk niet al te toeschietelijk.

„Sinds gisteren is haar vriendin spoorloos. Degene die hier eerder enige dagen heeft doorgebracht."

„Ik heb niemand gezien," zei de ander voor Philip zijn zin had afgemaakt. „Er komt hier zelden iemand."

Behalve Joanna dan, dacht Marit. Maar ze hield het voor zich. Misschien verkeerde deze James echt in de veronderstelling dat niemand wist van zijn verhouding met de eigenares van de Fairiesgarden.

„Kom we kijken even bij de rivier," zei Philip. Ze liep met hem mee en vroeg: „Geloof je hem?"

„Waarom niet? Denk je dat hij Jasmin daar verborgen houdt?"

„Ik weet niet meer wat ik moet geloven," zuchtte Marit. Even later stonden ze aan de oever van de rivier. Het hellende pad was inderdaad glibberig, maar toch niet zo dat een volwassen mens zomaar naar beneden zou vallen. Tenzij je geduwd werd. En dan nog, Jasmin was behendig en ze kon heel goed zwemmen. Trouwens, waar dacht ze aan. Dat vroeg Philip haar even later ook, toen ze toch de mogelijkheid opperde.

„Ik denk dat Joanna meer weet dan ze zegt," antwoordde ze.

„Laten we maar teruggaan," zei Philip, zonder op het laatste in te gaan. Eenmaal bij het huis liep Marit door naar de achterkant en bleef met een schok staan toen ze Jasmins auto zag. Ze riep Philip die in enkele tellen bij haar was. Marit kon nauwelijks uit haar woorden komen.

„Haar auto. Ze kan dus niet ver weg zijn. Er moet een ongeluk gebeurd zijn." Philip liep om de auto heen en opende het portier. „Hij is niet eens afgesloten," mompelde hij.

„We moeten de politie waarschuwen," zei Marit bevend.

„Laten we naar binnengaan. Misschien weet Michael inmiddels meer." Marit liet zich echter niet meer geruststellen. Er was vast iets ernstigs met Jasmin aan de hand. Waar kon ze lopend naar toe zijn gegaan in de stromende regen? En in de nacht? Waarom had ze haar auto niet gepakt en waarom stond deze zo verborgen? „Kan ze in jouw huis zijn?" vroeg ze plotseling.

„Vanmorgen niet," antwoordde Philip. „Kom, Marit, laat de moed niet zakken. Er moet een verklaring voor zijn."

Natuurlijk een verklaring was er altijd, dacht Marit. Het was alleen de vraag welke. Wat kon de oplossing van dit raadsel zijn? Marit zag niet meer hoe dit goed kon aflopen.

Jasmin had de kleine ruimte grondig doorzocht, maar de enige manier om weg te komen was via het luik. En daar kreeg ze op geen enkele manier beweging in. Zelfs zonder grendels ervoor zou het haar niet zijn gelukt dit te openen. Het kleine raam was niet alleen te hoog er zat matglas voor en bovendien nog een ijzeren buis. Waar zou dit vertrek voor dienen? vroeg Jasmin zich af. Er stonden alleen wat afgesloten kisten. Ze ging even zitten en probeerde nuchter na te denken. De kans dat Joanna spijt kreeg en haar kwam bevrijden leek haar klein. Wat zou ze dan voor verklaring moeten geven? Ze kon dit moeilijk als een grapje afdoen. Het zou van Joanna's verhaal afhangen of de anderen haar zouden gaan zoeken. Maar als ze beweerde dat Jasmin was vertrokken zouden de anderen dat toch moeilijk kunnen accepteren, aangezien ze niets had meegenomen. Er van uitgaande dat ze haar zouden gaan zoeken, zou iemand dan op het idee komen op dit afgesloten zoldertje te gaan kijken? Bij haar weten kwamen ze zelden in de garage. Michaels auto stond altijd buiten. Aangezien het luik was vergrendeld kon ze hier niet zonder hulp terecht zijn gekomen. Dus moesten ze Joanna zover krijgen dat ze vertelde wat ze gedaan had. Dat zou ze nooit doen. Ze zou haar blauwe ogen wijd opensperren en eruit zien als een onschuldig kind dat van niets wist. En dat klopte niet. Joanna deugde niet en Joanna begreep inmiddels dat zij, Jasmin, daarvan op de hoogte was.

Maar ze kon haar hier toch moeilijk laten zitten? Hoelang kon een mens eigenlijk zonder voedsel en water? Wel enkele dagen stelde ze zichzelf gerust. En daarna? Ze zou steeds zwakker worden. In elk geval moest ze niet in paniek raken. Ze kon in elk geval hard schreeuwen. Tegen de avond als iedereen naar bed ging en het steeds stiller werd zou toch wel iemand haar horen.

En als die Roelanda echt hierheen kwam? Maar dat kon nog wel even duren want die vrouw wilde eerst heel zeker van haar zaak zijn. Tegen die tijd was zij waarschijnlijk zo zwak dat ze niet eens meer kon roepen. Ze ging op haar knieën bij het luik zitten en riep: „Marit, ik ben hier!" Ze begreep echter dat er iemand vlakbij moest zijn wilde men dat horen

Er was beneden ook nog een deur met een gordijn ervoor. En mogelijk had Joanna nog meer voorzorgsmaatregelen genomen. Ze keek naar de houten kisten. Als ze die kon tillen en met een klap op het luik kon laten vallen, zou deze er misschien doorheen gaan. Maar de kisten waren loodzwaar en het luik zag er solide uit. Trouwens, als ze zover kwam dat de kist op het luik terecht kwam en het luik bleef intact, dan was het ook van de andere kant niet meer te openen. Jasmin ging een beetje moedeloos op één van de kisten zitten. Het was niet te geloven. Ze zat hier opgesloten en het hing helemaal van Joanna af of ze ooit bevrijd zou worden. En als Joanna nadacht zou ze begrijpen dat Jasmin haar niet zou sparen. Dus op haar hoefde ze niet te rekenen. De enige mogelijkheid was lawaai maken als ze vermoedde dat er iemand in de buurt was. En tot die tijd moest ze haar krachten en haar stem sparen.

Toen Philip en Marit terug in huis kwamen zat Joanna met haar dochter in de tuinkamer. Philip ging bij haar zitten en maakte een gebaar naar Marit of ze er ook bij kwam. Ze zag dat het Joanna ergerde maar ze deed het toch. Toen Michael binnenkwam en vroeg of ze koffie wilden knikten ze beiden.

„Ik wil het wel doen," zei Marit.

„Blijf maar zitten. Je ziet er moe uit. Het is zo klaar."

Tot Michael met de koffie binnenkwam, zweeg Philip. Joanna zag er heel rustig en ontspannen uit terwijl ze een barbie voor Emma aankleedde.

„We zijn de hele tuin door geweest," begon Philip . „Er is nergens een spoor van Jasmin. Ik vind dat we de politie moeten waarschuwen."

Joanna keek op. Scherp zei ze: „Is dat niet wat overdreven? Ze is gewoon weggegaan. Misschien omdat ik zei dat ze zich niet met mijn leven moest bemoeien. Ze was nieuwsgierig en daar houd ik niet van. Dat heb ik haar gezegd."

„En daarna is ze zonder koffer, zelfs zonder jas, lopend vertrokken, want haar auto is nog hier," zei Marit.

„Wat zeg je?" Michael vloog uit zijn stoel overeind. „Joanna, als jij hier meer van weet…"

„Voor de zoveelste keer, ik heb je gezegd hoe het is gegaan. Maak je toch niet zo druk. Waarschijnlijk heeft ze ergens een vriendje."

„Natuurlijk heeft ze geen vriendje," zei Michael stellig, zweeg abrupt.

„Je denkt dat ze jou daarover zou inlichten?"

„In elk geval zou Marit daarvan weten," vond Michael een uitweg.

„Dat zou ze mij zeker hebben verteld," zei deze.

De dag kroop voorbij. Philip en Marit gingen opnieuw de tuin in, doorkruisten het verwilderde gedeelte en riepen af en toe haar naam. Uiteindelijk stelde Philip voor naar het dichtstbijzijnde stadje te rijden. „Dat is toch te ver om naar toe te lopen," meende Marit.

„Misschien heeft ze een lift gekregen."

Marit antwoordde niet. Het was toch volkomen onlogisch

zoiets te denken, terwijl Jasmins auto bij wijze van spreken startklaar stond. „Zullen we nu de politie inlichten?" stelde ze voor.

Philip aarzelde. „Ik denk niet dat zij veel doen. Ze is een volwassen vrouw. Als het om een kind gaat komen ze sneller in actie. Laten we tot morgen wachten."

Marit moest hem wel gelijk geven. Jasmin was niet alleen volwassen, ze was ook zeer onafhankelijk. Als hier een eenvoudige verklaring voor was, en ze kwam plotseling opdagen, dan zou ze hen de inmenging van de politie niet in dank afnemen.

Philip ging die avond al tijdig naar huis en Marit verdween vroeg naar haar kamer. Joanna en haar dochter lieten zich na het eten ook niet meer zien. Toen Marit klaarwakker in bed lag en meende buiten iets te horen, was ze in een seconde haar bed uit. Ze zag Michael op het terras staan. Hij maakte zich erg ongerust dat was haar inmiddels wel duidelijk geworden. En ze begreep nu ook dat Jasmin meer voor hem betekende dan deze zelf wist.

Met die mededeling zou haar vriendin waarschijnlijk erg blij zijn. Als zij ooit de gelegenheid kreeg haar dit te zeggen. Langzaam drupten de tranen langs haar wangen. Ze was nu echt bang. Het kon immers niet anders of er was iets ernstigs gebeurd.

De volgende morgen was ze vroeg beneden, de ontbijttafel was echter al gedekt. Ze keek naar Michael die de krant doorbladerde. „Ben je wel naar bed geweest?" vroeg ze.

Hij schudde het hoofd. „Ik ga vandaag naar de politie. Nu kijk ik de krant door of er misschien iets... iemand is gevonden."

Ze staarde hem ontzet aan. „Je denkt toch niet..."

„Ik weet het niet, Marit. Ik weet het niet, maar ik maak me grote zorgen."

Toen oom Stanley kwam binnenstommelen, haastig ging zitten en schichtig om zich heen keek, letten ze niet eens op hem. „Het spookt hier en buiten," zei hij.

„Weer een heks gezien, oom Stanley?" vroeg Michael goedmoedig.

„Niet gezien, wel gehoord."

Ze keken elkaar aan en beiden dachten aan de keer dat hij Jasmin voor een heks had aangezien.

„Wat heb je gehoord en waar?" vroeg Michael.

„Ik ga daar niet meer heen," zei de oude man.

„Waar niet heen?" Er klonk enig ongeduld in Michaels stem. Oom Stanley wees achter zich naar de keuken. Michael opende de deur, maar het vertrek was leeg. „Er is niemand. Joanna en Emma zijn boven."

„Dat zeg jij. Er is daar een spook."

„Nou, zullen we dan maar eens gaan kijken," zei Michael opstaand. Het was Marit al eerder opgevallen dat oom Stanley het snelst kalmeerde als er serieus op zijn waandenkbeelden werd ingegaan. Ze volgden Michael naar de keuken, Stanley kwam aarzelend achteraan, bleef in de hoek voor een gordijn staan. Hij schuifelde nerveus heen en weer. „Er is niets te zien of te horen," zei Michael vriendelijk. Stanley wees naar het gordijn en Michael haalde de schouders op. „Bedoel je in de garage?" Maar die deur is afgesloten. Waren het misschien kraaien op het dak? Die kunnen een hoop herrie maken."

„Geen kraaien," zei oom Stanley stellig.

Ineens greep Marit Michael bij de arm. „Ik dacht dat ik iets hoorde," zei ze zacht.

„Er is hierboven een zolder." In één stap was Michael bij de deur en rukte het gordijn opzij. Toen Marit de deur zag hield ze even haar adem in. „Is dat een kast?" fluisterde ze.

Michael opende nu de deur en knipte een lampje aan. Marit zag de lege garage, maar ze zag ook de trap en het vergrendelde luik en ineens riep ze: „Jasmin, ben je daar?"

Ze kon later niet zeggen waarom dit ineens bij haar opgekomen was. Logischerwijs kon Jasmin daar niet zijn, behalve als iemand met opzet... Ineens hoorde ze alle drie heel zacht: „Ik ben hier."

Michael stoof de trap op, schoof de grendels weg en duwde tegen het luik, waarop dit langzaam openklapte. Michael zette het zware luik eerst vast en klom vervolgens verder. „Lieve help, arme meid," klonk het duidelijk geschokt.

Marit hees zich ook omhoog. Haar vriendin zat tegen een kist geleund en leek nauwelijks in staat zich te bewegen. „Ik heb zo'n dorst," fluisterde ze.

Marit was in enkele tellen de trap weer af en in de keuken, vulde daar een glas water. In het voorbijgaan legde ze even een hand op oom Stanley's schouder. „Wat een geluk dat jij iets hoorde," zei ze.

Even later knielde ze bij Jasmin en gaf haar het glas. Deze bleek niet in staat dit in haar bevende handen te houden en Michael ondersteunde haar, terwijl Marit haar liet drinken.

„Laten we nu eerst maar zien beneden te komen," zei hij.

„Later horen we wel wat er gebeurd is. Jasmin is totaal verzwakt na twee dagen en nachten zonder eten of drinken."

Het is niet zo moeilijk te raden wat er gebeurd is, dacht Marit. De grendels waren niet vanzelf voor dat luik geschoven. Waarom was Jasmin hierheen gegaan? Het bleek in elk geval dat ze gelijk had, Joanna was gevaarlijk. Ze moesten echt de politie waarschuwen. Wie weet wat ze nog meer zou uithalen. Hoewel Jasmin nog niets had gezegd, was Marit ervan overtuigd dat Joanna hier achter zat. Ze vroeg zich af, of ze Michael en Philip hiervan kon overtuigen. Ze moesten gewoon geloven dat Joanna niet deugde.

Michael tilde Jasmin in zijn armen en liep voetje voor voetje voorwaarts de trap af. Marit stond onderaan, om hen eventueel op te vangen. Maar alles ging goed.

„Je kan misschien beter gaan liggen," zei ze. Uit het feit dat Jasmin niet protesteerde bleek dat ze niet meer tot veel in staat was, dacht Marit. Ze ondersteunde haar terwijl ze, eenmaal beneden, opnieuw een glas water dronk. „Ik dacht dat ik daar dood zou gaan," fluisterde Jasmin.

Michael droeg haar de trap op naar haar kamer, legde haar voorzichtig op het bed, streelde haar wang. „Ik begrijp dat je dat ging denken. Gelukkig heeft oom Stanley iets gehoord."

„Ik heb niet veel geluid meer gemaakt de laatste uren," fluisterde Jasmin.

„Ik zal iets te eten voor je maken. Wat denk je van een schaaltje yoghurt, wat crackers en een beker thee? Het klinkt misschien sober, maar het lijkt me dat we voorzichtig moeten beginnen."

Hij liep naar de deur. „Niet alle twee weggaan," zei Jasmin met een klein stemmetje.

„Ik blijf hier," zei Marit geruststellend. Waar was haar vrolijke overmoedige vriendin gebleven? Toen Michael was verdwenen, zei ze: „Het was Joanna, is het niet?"

Jasmin knikte. „Ik had voorzichtiger moeten zijn."

„Ja, geef vooral jezelf de schuld," mopperde Marit. „Je moet nu toch maar eens vertellen wat je te weten bent gekomen."

Jasmin zuchtte. „Het maakt een puinhoop van het leven van deze mensen. Dat wil ik Michael niet aandoen. Niet voor ik alles zeker weet."

Marit vroeg niet verder. Haar vriendin was duidelijk uitgeput. Even later kwam Michael weer naar boven. Hij schikte enkele kussens in Jasmins rug en schepte een lepel yoghurt, kennelijk met de bedoeling haar te voeren. Jasmin wilde eerst protesteren, maar merkte toen dat ze de lepel niet stevig kon vasthouden. „Laat mij nou maar. Het is waarschijnlijk alleen voor deze keer," zei Michael overredend. „Het spijt me heel erg, Jasmin."

„Wat spijt je?" vroeg ze en ze sperde haar mond als een hongerig vogeltje wijd open.

„Dat ik Joanna heb onderschat. Ik had niet gedacht dat ze tot iets dergelijks in staat was. Maar het is gedeeltelijk mijn schuld. Ze heeft mijn genegenheid voor jou opgemerkt. Nu is ze bang dat ik haar in de steek zal laten."

„En dat doe je niet?" waagde Jasmin.

„Hoe kan ik dat? Hoe kan ik iemand die van mij afhankelijk is in de steek laten. Emma is er ook."

„Ach Michael, er is zoveel wat jij niet weet," zuchtte Jasmin.

Marit verliet geruisloos de kamer. Zou Michael er werkelijk voor kiezen bij Joanna te blijven? Je kon trouw ook overdrijven.

In de kamer was Joanna. Emma nam kleine hapjes van een tosti. Zelf had ze blijkbaar al gegeten. „Hoe kon je dit doen?" zei Marit verwijtend. „Ben je echt van mening dat je iemand kunt opsluiten met de bedoeling haar te laten verhongeren.

Dat is strafbaar. Jasmin kan een aanklacht indienen."

„Klets geen onzin. Dat mens is vrijwillig naar boven gegaan. Ze is onuitstaanbaar nieuwsgierig."

„En die grendels zijn vanzelf voor het luik geschoven?"

„Dat zal oom Stanley wel op zijn geweten hebben. Hij heeft iets gehoord en werd bang. Dat overkomt hem vaker, zo je weet."

Marit keek naar de oude man die voor zich uitstaarde. Er leek op dit moment niets tot hem door te dringen. „Wat gemeen om hem de schuld te geven," zei ze verontwaardigd. „Hij weet immers niet wat hij doet. Waarom zou ikzelf dat mens opsluiten?"

„Daar kunnen diverse redenen voor zijn. Maar je wist dat ze daarboven was. Waarom zei je dat niet direct?"

„Ach, zie je…" Joanna sperde haar blauwe ogen wijd open. „Onder ons gezegd, ik had wat gedronken. Ik ben het gewoon vergeten. Toen ik jullie zo even hoorde schoot het mij weer te binnen." Haar lip begon plotseling op een kinderlijke manier te trillen. „Soms ben ik bang dat ik net zo word als oom Stanley."

Marit ging er niet op in. Joanna was gewoon een geboren leugenaarster en een toneelspeelster bovendien.

Even later begon ze de tafel af te ruimen en was daar juist mee klaar toen Michael beneden kwam. „Ze slaapt nu," zei hij. En dan: „Joanna, ik geloof echt dat wij weer contact moeten opnemen met je psychiater."

„Ik heb haar net verteld hoe het is gegaan."

Hij negeerde dit. „Jasmin is hier in huis, ze is onze gast. Zo kun je niet met mensen omgaan." Zijn toon was vriendelijk en Marit keek hem aan. Zag hij werkelijk niet dat zijn vrouw niet deugde? Dat hier veel meer achter stak dan een onschuldig plagerijtje?

„Je weet toch hoe oom Stanley is. Michael, iedereen is tegen mij." Ze begon te huilen, liep naar hem toe en kroop als een kind tegen hem aan.

Michael leidde haar naar de bank of ze invalide was, onder het prevelen van geruststellende woordjes. Marit ging geërgerd de kamer uit. Was hij zelf wel helemaal normaal? Hij behandelde zijn vrouw als een kind dat iets doms had uitgehaald. Terwijl het Jasmins dood had kunnen worden als oom Stanley haar niet had gevonden.

Ze ging haar kamer binnen, waar Jasmin rechtop in bed zat.

„Michael zei dat je sliep," zei Marit.

„Hoe zou dat kunnen? Ik ben echt niet zo gauw bang, maar ik dacht dat ik daar dood zou gaan."

„Hoe voel jij je nu?" Marit ging op de rand van het bed zitten.

„Trillerig en zwak, maar dat komt vanzelf goed."

„Joanna beweert nu dat Stanley je heeft opgesloten."

Jasmin schudde het hoofd. „Zoals zij kan draaien en liegen bestaat er geen tweede. Oom Stanley zou niet eens die smalle trap op kunnen. Joanna vindt mij te nieuwsgierig. Dat ben ik ook, anders had ik haar niet als een hondje gevolgd naar boven. En toen verdween ze sneller dan de wind en schoof de grendels op het luik. Eerlijk Marit, die twee nachten dat ik daar zat, ik voelde me levend begraven. In het begin heb ik nog geroepen maar mijn stem bracht niet veel meer voort dan een schor gepiep. En het was allemaal zo grondig afgesloten…" Ze huiverde.

„Dank aan oom Stanley," zei Marit zacht. „En nu? Wat ga je nu doen als je weer bent aangesterkt?"

„Ik ga zo snel mogelijk verder met mijn onderzoek."

„Michael gedraagt zich nog steeds beschermend tegenover Joanna," zei Marit, nog steeds verontwaardigd.

„Hij heeft niets meer met haar. Dat zei hij zelf," reageerde Jasmin tot Marits verbazing. „Maar hij houdt wel veel van Emma. Ik wil niet degene zijn die het kind van hem afneemt."

„Hoe bedoel je?"

„Laat maar. Ik praat teveel." Jasmin liet zich vermoeid achterover zakken.

„Had jij vandaag geen afspraak met Philip, vroeg ze nog.

„We zouden naar Bodmin Moor." Ze keek naar buiten waar de regen alles grijs en saai maakte.

„Dat weer hoort er juist bij. Bij de boeken van Daphne du Maurier. En zeker bij Jamaica Inn. Zij schijnt dat boek daar geschreven te hebben."

Marit knikte. Datzelfde had Philip haar verteld. Hij zou trouwens zo wel komen.

„Kan ik jou hier wel alleen laten?" aarzelde Marit. „Je bent nog zo zwak."

„Denk je dat ze mij gaat vermoorden?" vroeg Jasmin.

„Hou op, zeg. Maar je hebt nu gezien waartoe ze in staat is."

„Ze durft nu even niet. Trouwens, Michael is nu thuis."

Marit wilde niet zeggen dat ze in hem niet veel vertrouwen had. Toen ze beneden kwam zag ze de auto van Philip juist stoppen. Michael was nog in de tuinkamer. Hij zag er zorgelijk uit.

„Waar is Joanna?" vroeg Marit, denkend aan haar vriendin die nu tamelijk hulpeloos in bed lag.

„Ze is met Emma boven."

„Zal ze niet naar Jasmin gaan?" waagde ze.

„Om haar karwei af te maken, bedoel je dat soms?" klonk het sarcastisch. Marit kreeg een kleur. Het was ook te absurd voor woorden. „Ik heb haar iets kalmerends gegeven," zei hij toen. „Ze is niet helemaal zichzelf. Op de een of andere manier voelt ze zich bedreigd door Jasmin."

„En daarom wilde ze haar uit de weg ruimen," zei Marit bitter.

„Ze zou haar heus wel op tijd bevrijd hebben. Joanna is veel te zachtaardig om zoiets te doen."

Marit schudde het hoofd. Ze wilde niets meer horen. Als Michael werkelijk voortdurend zijn vrouw de hand boven het hoofd hield, dan deden zij en Jasmin er maar het beste aan te vertrekken. Dan waren ze hier niet meer veilig.

Ze ging het vertrek uit en botste bijna tegen Philip aan.

„Hé, jou moet ik juist hebben. Waar was je van plan naar toe te gaan?" Ze aarzelde, keerde vervolgens op haar schreden terug met Philip achter zich aan. „Michael, je bent thuis. Je belde dat het meisje is gevonden. Hoe is het met haar?"

„Ze is erg verzwakt door gebrek aan water en voedsel. Ik durf haar niet goed alleen te laten, Philip. Niet als Joanna hier ook is."

Philip wierp een snelle blik op zijn vriend die er terneergeslagen uitzag. Hij maakte zich dus wel degelijk zorgen over wat Joanna nog meer zou uithalen, dacht Marit enigszins opgelucht.

„Is ze weer aan het drinken?" vroeg Philip.

De ander knikte. „Dat ook. Maar ze gedraagt zich vreemd, Philip. Ik zei je al hoe ze Jasmin heeft opgesloten. Als Stanley er niet was geweest... Zijn stem beefde. „Wat moet ik toch met haar?"

„Misschien moet ze toch een tijdje worden opgenomen," zei Philip voorzichtig.

„En Emma dan?"

„Daar kunnen deze meisjes heel goed voor zorgen." Even verscheen er een vonkje hoop in Michaels ogen, wat echter gelijk weer doofde. „Dat zal Joanna nooit goed vinden. Emma is haar kind."

„Daar zou ik maar niet te zeker van zijn," flapte Marit er tot haar eigen schrik plotseling uit. Het was op slag doodstil. „Wat bedoel je?" vroeg Michael.

Marit haalde de schouders op. „Ik bedoelde eigenlijk niets. En ik weet ook niets. Sorry."

Ze verliet de kamer en vluchtte bijna naar buiten. De regen was opgehouden maar de grijze lucht zag er somber uit. Een lichte nevel hing tussen de bomen. Waarom had ze dat nu gezegd? Alleen door opmerkingen van Jasmin en indertijd van die arts had ze een en ander bij elkaar opgeteld. Ze had haar mond moeten houden.

„Dat had je beter niet kunnen zeggen," zei Philip achter haar. „Wie schiet daar iets mee op? De enkelen die het weten hebben dit altijd zorgvuldig geheim gehouden."

„Denk je dat dat juist was?" vroeg ze verdedigend.

„Het is in elk geval niet aan jou om opening van zaken te geven." Marit voelde zich terechtgewezen. Het leek wel of ze op een muur van onwil botste. Was hetgeen Joanna haar vriendin had aangedaan niet erg genoeg? En nog hielden ze haar de hand boven het hoofd.

Het was niet alleen een kwestie van drank, Joanna was geestelijk in de war. Ze moest behandeld worden voor er iets ernstigers gebeurde.

„We zouden vandaag naar de Jamaica Inn gaan. Ben je van

gedachten verandert of gaan we?" vroeg Philip toen.

„En Jasmin?" vroeg ze met haar rug naar hem toe.

„Michael zorgt voor Jasmin dat kun je gerust aan hem over-laten."

„Goed." Ze liep de trap op om haar jas en haar rugzakje te halen. Boven zat Jasmin rechtop in bed en bestudeerde een aantal papieren.

„Wat ben je aan het doen?"

„Ik heb bepaalde inlichtingen gevraagd. Er waren nu enkele mails binnen die heb ik uitgeprint en toen verwijderd."

„Je bent dus uit bed geweest."

„Ja. En ik heb gedoucht. Ik voel me al een stuk beter." Ze zal wel gelijk hebben dacht Marit. Jasmins groene ogen schitter-den weer even levendig als altijd.

„Hoe is het met de gevaarlijke vrouw?" vroeg Jasmin toen.

„Sorry hoor, ik kan dat mens niet serieus nemen. Met haar onschuldige blik en poezelige handjes."

„Die handjes waren anders tot flink wat in staat. En ze regeert hier de hele boel," zei Marit bitter. „Die twee mannen zijn gewoon bang voor haar reacties."

„Nou, ik niet. Ze zal het niet meer wagen iets tegen mij te ondernemen," zei Jasmin flink.

Marit zocht wat spullen bij elkaar en zei niets. „Je gaat met Philip weg," begreep haar vriendin. „Zorg dat je niet ver-dwaalt. Verdwijningen zijn hier aan de orde van de dag."

Marit lachte nu ook. „Doe je deur op slot," zei ze nog.

„Voor als oom Stanley hitsig wordt." Grinnikend liep Marit de trap af, intussen toch luisterend of de sleutel werd omge-draaid. Tot haar opluchting gebeurde dat inderdaad.

De twee mannen waren blijkbaar in ernstig gesprek, maar zwegen toen ze binnenkwam.

„Hoe is het met haar?" vroeg Michael gespannen.

„Wel goed. Je kunt gerust naar haar toegaan. Wel even klop-pen.

Michael kleurde zowaar. „Ze neemt het heel wat minder zwaar op dan jij. Gelukkig maar," zei hij.

Marit haalde de schouders op. „Jasmin is geen zwartkij-ker."

„Jij blijft toch thuis, Michael? Wij gaan," zei Philip opstaand. „Ik blijf hier," antwoordde Michael.

„Zou hij naar Jasmin toegaan?" vroeg ze toen ze in de auto zaten. „Ik bedoel, ze moet wel regelmatig iets eten."

„Hij zorgt wel voor haar," zei Philip geruststellend. „Zijn probleem is in feite dat hij té zorgzaam is. Anders was hij allang weg bij Joanna. Maar hij blijft van mening dat ze niet voor zichzelf kan zorgen. En zeker niet voor Emma."

„Vind jij ook dat ze… gevaarlijk is?"

„Ze is zichzelf niet als ze teveel drinkt. Dat geldt voor alle alcoholisten."

„Ja maar…" Hij startte de auto, keek haar niet aan toen hij zei: „Ze is mijn nichtje. Toen haar ouders verongelukten en zij daarbij zwaar gewond raakte, was ze zowat alleen op de wereld. Ze had alleen mij. Joanna was altijd al anders dan anderen. Na dat ongeluk had ze af en toe vreemde stemmingen. Eerst leken het een soort toevallen. Later gedroeg ze zich korte periodes erg vreemd. Maar toen ze Emma had en later Michael leek het beter met haar te gaan. Eerlijk gezegd, sinds jullie er zijn en dan vooral je vriendin, is ze weer onrustig. Achterdochtig ook. Waarom laat je vriendin haar niet met rust?"

„Omdat er iets is wat niet klopt," mompelde Marit. „Jasmin werkt voor tijdschriften, ze doet wat navraag naar een en ander. Meer weet ik ook niet."

„Aha. Ja, voor dergelijk werk moet je inderdaad nieuwsgierig zijn," zei Philip.

Marit ging er niet op in. Ze wist ook wel dat als Jasmin zich ergens in vastbeet, ze zomaar niet losliet. „Weet je…" zei ze langzaam. „Dat kind is niet van haar. Volgens de dokter…"

„Jij bent al even nieuwsgierig als je vriendin. Goed, ze heeft Emma geadopteerd. Dat zei ik je al eerder. Maar Michael weet dat niet, dus voel je niet geroepen hem in te lichten," voegde hij er nog aan toe.

„Hoe kan een vrouw alleen een kind adopteren."

„Een kind van een vriendin die ongeneeslijk ziek was," verklaarde Philip.

„Ze heeft een onuitputtelijke fantasie."

Philip antwoordde niet. Hij dacht aan de dag dat Joanna bij hem was gekomen met het kind op de arm. Ze had toen met hem willen trouwen. Hij had zich toen afgevraagd hoe ze aan dat kind kwam. Maar ze had verteld dat ze een en ander met haar vriendin had geregeld. Hij had dat toen een daad van menselijkheid gevonden

Hij was blij geweest dat ze nu iets had om voor te zorgen, al waren die zorgen al snel overdreven. Ten slotte zei hij: „Laten we Joanna voor nu vergeten. Ze heeft al teveel van onze gedachten in beslag genomen." Hij gaf een kneepje in haar hand en Marit besloot het onderwerp Joanna inderdaad te laten rusten.

Het was een flink eind rijden, maar saai was het zeker niet. Philip vertelde haar een en ander over zijn werk. En ook over zijn plannen om volgend jaar in de cottage te trekken. „Ik heb nu toch besloten enkele vakmensen aan te trekken, want op deze manier gaat het veel te lang duren. Ik wil daar gaan wonen, samen met een lieve vrouw." Hij wierp haar een zijdelingse blik toe en Marit voelde een stroomstootje door haar lichaam gaan. O ja, ze was verliefd op hem, ze was er zeker van. „Zou jij daar willen wonen?" vroeg hij toen rechtstreeks.

„Vraag je mij nu om bij jou in te trekken?" vroeg ze aarzelend. Hij grinnikte. „Daar lijkt het wel op, vind je niet?"

„Maar we kennen elkaar nog niet zo goed."

Hij reed de auto naar een uitsparing in de weg, stopte en keek haar aan. „Dat wordt iedere dag beter. Maar je blijft een beetje wantrouwend en voorzichtig." Hij legde zijn hand op haar schouder en ze keek in zijn bruine ogen. Lieve ogen had hij…. Toen hij haar dichter naar zich toetrok en haar kuste, sloeg ze haar armen om zijn nek. Een vrachtwagen passeerde en toeterde luid. Philip trok haar nog vaster tegen zich aan. „Ik ben nog nooit zo ondersteboven geweest van een vrouw," mompelde hij. „Voel jij dat ook zo?"

Ze knikte met haar hoofd tegen zijn schouder. „Dan zijn er toch verder geen obstakels? Ik ben niet getrouwd, ik heb geen kind en jij ook niet."

Marit dacht even aan Jasmin, die niet verder zou nadenken

en zich onmiddellijk in een avontuur zou storten. Er was echter nooit iemand op haar weg gekomen zoals Philip. Ze voelde zich prettig bij hem. Zekerheid of dit blijvend was kon niemand haar geven. Zekerheid bestond niet. „Kom, hou eens op met piekeren of dit allemaal zomaar kan." Philip tikte haar op de wang. Hij kende haar al vrij goed en ze glimlachte. „We moeten naar de Jamaica Inn," herinnerde ze hem.

„Je hebt gelijk. Daphne du Maurier heeft trouwens prachtige liefdesverhalen geschreven." Hij startte de auto.

„En zij niet alleen. De wereld is vol van de mooiste liefdesverhalen. Niet alles loopt goed af, maar dat is iets waar je niet van tevoren vanuit moet gaan." Het leek wel of hij haar gedachten kon lezen, dacht Marit.

„Vertel me over jezelf," vroeg hij. „Over je leven voor je hierheen kwam en mijn rustige bestaan op zijn grondvesten deed schudden."

Ze lachte, vertelde over haar werk op het reisbureau en haar onverwacht ontslag. Hoe Jasmin op het juiste moment was gekomen. „Dat was echt een sprong in het diepe," zei ze. „Nu ik jou ken is het anders. Maar in het begin dacht ik vaak: waar ben ik aan begonnen?"

„Goed dat je de sprong hebt gewaagd."

Ze knikte. „Soms moet je alle aarzelingen overboord zetten." Hij keek haar aan. „Blij dat te horen." Ze wist dat hij niet alleen doelde op haar komst naar Engeland. „Wat zal Michael zeggen als hij hoort dat Joanna…" begon ze.

„Ik kan me niet voorstellen dat Michael niet weet hoe het zit. Ik wilde dat hij eens voor zichzelf koos. Dit leven is toch uitzichtsloos. Maar goed, voor vandaag hebben we het nu alleen over onszelf." En toch bleef Joanna op de achtergrond aanwezig, dacht Marit.

Met een lichte maaltijd op een blad ging Michael naar boven. Voor haar kamerdeur bleef hij even staan. Als ze sliep wilde hij haar niet wakker maken. Zachtjes klopte hij.

„Wie is daar?" klonk het.

Haar heldere stem stelde hem gerust. De sleutel werd omgedraaid en even later stond ze voor hem in een wijd T-shirt, haar haren getemd door een lint. Maar krulletjes sprongen aan alle kanten uit de band. Haar groene ogen lachten alweer. „Ik krijg nu echt trek," zei ze.

Hij zette het blad op het tafeltje naast het bed en wilde weer verdwijnen. „Blijf je even?" vroeg ze.

„Als je dat wilt."

„Graag." Ze ging op de rand van het bed zitten en nam een hapje van de toost.

„Je vriendin is met Philip weg," zei hij om maar iets te zeggen.

„Ja, die twee dat wordt wel wat. Denk je ook niet?"

„Zou kunnen," zei hij gereserveerd.

„Waar is Joanna nu?" vroeg ze.

„Ik neem aan op haar kamer." Hij boog zich wat naar haar toe en haalde een kruimeltje weg bij haar mondhoek. Ze keek hem aan en verlegen wendde hij zich weer af, mompelde „Sorry."

„Waarom sorry? Deed je iets onvergeeflijks?"

Hij lachte. „Dat nou ook weer niet." Haar groene ogen schitterden en hij zei: „Ik vind je erg leuk om naar te kijken."

„Nou… niet alleen om naar te kijken, hoop ik. Ik ben verder ook niet onaardig al zeg ik het zelf."

Michael schoot in de lach. „Je hebt vast al veel vriendjes gehad."

„Ze staan in rijen voor mijn deur," zei ze droog. „Maar er was nooit iemand bij die ik zo leuk vond als jou."

„Lieve help!" Michael was duidelijk een beetje overdonderd door deze directe aanpak. Ze legde haar hand op de zijne. „Ik weet dat Joanna er is en Emma. Maar loop niet met een grote boog om de liefde heen."

„Jasmin…" Ze glimlachte naar hem, vroeg toen: „Ken jij Roelanda Vermeer?"

Hij leek even van zijn stuk gebracht door deze plotselinge overgang. „Zou ik die moeten kennen? Hoewel de naam me ergens aan doet denken. Wacht even. Volgens mij was ze stewardess. Net als Joanna. Ze zijn een tijdje bevriend geweest herinner ik mij nu. Maar toen Joanna stopte met werken hebben ze elkaar volgens mij nooit meer gezien."

„Zo gaat dat soms. Uit het oog uit het hart," zei Jasmin bedachtzaam, lepelend van haar yoghurt.

„Waarom wil je dat weten?" vroeg Michael.

„Ze nam contact met mij op nadat ze mijn artikel in dat tijdschrift had gezien. Ze herkende Joanna en wilde nu hierheen komen."

„O ja? Wat vreemd. Zo bevriend waren ze nu ook weer niet. Joanna had eigenlijk nooit vriendinnen."

HOOFDSTUK 10

Die middag verstuurde Jasmin een mail naar Roelanda met het verzoek om meer informatie.

Het antwoord verscheen al snel maar gaf nog niet veel duidelijkheid. Het nadeel van mails was dat iedereen de box kon openen en brieven kon lezen. Roelanda schreef onder andere: „Ik kom naar Engeland zodra ik meer zekerheid heb over alles. Ik laat je dat telefonisch weten. Als jij je afvraagt hoe ik aan je telefoonnummer kom, ik heb dat opgevraagd bij dat tijdschrift. Ik heb gezegd dat ik Joanna kende en dat ik jou nog graag enkele vragen wilde stellen. In elk geval kreeg ik je nummer, wat natuurlijk niet juist was. In principe mogen ze geen gegevens doorgeven. Maar ik ben nogal vasthoudend. Je hoort zo snel mogelijk van me."

Nu, zij was inderdaad een type dat zich niet gemakkelijk liet afschepen, dacht Jasmin. Ze wilde eigenlijk niet de hele dag boven blijven. Ze wilde de confrontatie met Joanna niet langer uitstellen. Ze kleedde zich aan, maar bleef toch nog enige tijd zitten. Ze was vermoeider dan ze had gedacht. Op dit moment zou ze lichamelijk niet tegen Joanna opgewassen zijn. Als ze er aan dacht hoe snel ze dat luik had geopend moest ze behoorlijk sterk zijn. Uiteindelijk ging ze toch naar beneden. Joanna zat met Emma in de serre en Jasmin ging erbij zitten of er niets aan de hand was. Emma kwam direct naar haar toe met een boekje om voor te lezen.

„Ben je van plan mijn man en mijn kind in te pikken?" vroeg Joanna scherp.

„Ik heb geen plannen. Jij had een plan en hielp mij bijna naar de andere wereld."

„Waar heb je het over?" Joanna keek haar strak aan. Zou ze nu net gaan doen of ze nergens iets van wist? „Je hebt me opgesloten in de zolderkamer."

„Je ging zelf naar die kamer toe vanwege je grenzeloze nieuwsgierigheid. Oom Stanley heeft je per ongeluk opgesloten." Ze sperde haar lichte ogen wijd open. „Zie je mij ervoor aan dat ik je opzettelijk in gevaar zou brengen?" Jasmin keek in de lichte ogen die bijna kleurloos leken en waar geen spoortje warmte in te zien was. „Ja, daar zie ik je voor aan," zei ze kalm.

„Waarom ga je hier niet weg? Als je denkt dat Michael mij en Emma in de steek zal laten, vergis jij je. Michael heeft een hart en een geweten."

„En dat kan ik van jou niet zeggen," reageerde Jasmin.

„Lees nou," drong Emma aan. Ze opende het boekje en Joanna stond op. „Als jij hier blijft kan ik even weg."

Jasmin ging er niet op in. Natuurlijk zou ze niet weggaan en Emma hier alleen achterlaten. Dat wist Joanna heel goed. Even later hoorde ze de voordeur dichtslaan en zag ze Joanna snel verder de tuin inlopen. Op weg naar James waarschijnlijk.

Even later kwam Michael met een verontrust gezicht de serre binnen. „O, je zit hier. Gelukkig. Ik dacht dat je er vandoor was."

„Dat was Joanna." Hij knikte. „Is het goed dat ik erbij kom zitten? Het is zo'n huiselijk tafereeltje."

„Dit is jouw huis," zei ze nadrukkelijk.

„Dat is niet waar. Het is Joanna's huis." Nog een reden waarom hij haar niet in de steek kon laten. Hij had geen onderdak, dacht Jasmin. Hij had zich wel aan alle kanten klem gezet door met deze vrouw te trouwen. Zowel emotioneel als praktisch.

Terwijl ze las zat Michael rustig te luisteren. Zijn grijze ogen waren voortdurend op haar gericht en ze werd er een beetje verlegen van. Hij scheen dat aan te voelen, want ineens zei hij: „Sorry, maar je bent zo leuk om naar te kijken." Bijna had Jasmin gezegd: jij bent niet veel gewend, maar ze hield het bijtijds binnen. Gewoon wat bij elkaar zitten, af en toe een glimlach wisselen, zorgde er voor dat ze zich bijzonder op haar gemak voelde. Toen Emma in haar speelhoek bezig was, kwam hij naast haar zitten en legde zijn arm om haar schouders.

„O Jasmin, ik wilde dat het kon." Ze vroeg hem niet wat hij bedoelde. „Houd je zoveel van Joanna?" vroeg ze in plaats daarvan.

„O nee. Ik heb nooit echt van haar gehouden. Ik was alleen

138

korte tijd verliefd. Maar Emma… haar kan ik niet loslaten. En ik zal haar nooit meer zien als ik wegga. Ik heb geen enkel recht, ze is mijn kind niet." Ze draaide haar hoofd naar hem toe. Ze waren heel dicht bij elkaar en even raakten zijn lippen de hare. Maar hij trok zich terug, keek naar Emma, die niet had opgekeken. „Ik kan haar niet aan Joanna overlaten," zei hij nog eens.

Jasmin zei niets. Stel dat het echt waar was. Dat Emma niet Joanna's kind was. Wie kon er dan rechten op haar laten gelden? Die vriendin van Joanna die zogenaamd was overleden? Misschien klopte er niets van dat verhaal. Mogelijk had ze het kind gestolen. Maar dan zou ze allang zijn gevonden. Aan zoiets werd zoveel publiciteit gegeven dat had ze nooit geheim kunnen houden.

Hij pakte haar hand. „Misschien komt er een oplossing," zei hij zacht.

„Niet vanzelf, Michael. Daar zullen we voor moeten vechten, al weet ik nu nog niet hoe. Misschien wil Joanna wel scheiden, ze houdt immers niet echt van je."

„Nee. Maar ze heeft me wel nodig. Ik voel me verantwoordelijk voor haar."

Hij had teveel plichtsgevoel, dacht Jasmin. „Verplichting en banden bouwen zich op," zei hij, alsof hij wist wat ze dacht.

Joanna klopte aan bij het huisje waar James woonde.

„Ik wilde juist naar jou toekomen," begroette hij haar.

„Michael is thuis."

„Ik heb niets te zeggen wat hij niet horen mag." Dit antwoord vond Joanna tamelijk verontrustend. Hij opende de deur wijder en ze liep langs hem heen. Ging zitten op de bruin fluwelen bank, haar vaste plaats in dit huis.

„Ik ga weg," zei hij plompverloren.

Ze sloeg de hand voor haar mond, haar ogen vulden zich onmiddellijk met tranen. Eerder had James een dergelijk vertoon van emoties wel aandoenlijk gevonden, maar nu ergerde het hem.

„Mijn manuscript is klaar. Op het moment ben ik even uitgeschreven."

„Waar ga je dan heen?" vroeg ze bevend.

„Ik heb een appartement in Brighton. Dat heb ik indertijd onderverhuurd."

„Maar je kunt die persoon niet van de een op de andere dag de deur uitzetten," zei ze met enige hoop.

„Ik heb enkele maanden geleden de huur al opgezegd."

„Dus je was dit al langer van plan." Haar stem klonk plotseling kil.

„Inderdaad. Je wist trouwens dat ik hier niet zou blijven wonen. Deze omgeving inspireert mij niet meer."

„En ik dan?"

Jij inspireert mij ook niet meer, dacht hij. Maar hij zei alleen: „Jouw leven ligt hier."

„Neem me met je mee," zei ze.

„Natuurlijk niet. Wat wij hadden was een aardig tijdverdrijf. Niet meer. Het was tijdelijk. Zo moet jij het ook zien, Joanna. Het was leuk, maar het is voorbij."

Hij ontweek de glazen asbak die ze naar hem toesmeet te laat. Deze kwam met een klap in zijn gezicht terecht. Het feit dat hij zat, behoedde hem voor een val. Het bloed stroomde uit zijn neus. Hij staarde naar de vrouw die onaangedaan tegenover hem zat. Even zag hij haar vaag, toen verscheen ze weer in zijn blikveld. Hevige duizelingen maakten dat hij niet kon opstaan. Ze zou hem vermoorden zonder dat hij zich kon verweren, dacht hij vaag verontrust.

Ze stond op en keek minachtend op hem neer. „Nu zul je met je knappe gezicht geen vrouwen meer verleiden," zei ze. Waarop ze de kamer verliet en de deur met een klap achter haar dicht liet vallen. Hij hoorde de sleutel omdraaien. Ze sloot hem op.

Nu dat zou haar niet helpen, er waren ook ramen. Maar nu, op dit moment, zou hij nog enige tijd hier moeten blijven. Hij moest eerst wat steviger op zijn benen staan. Dan ging hij naar de politie. Dat mens was compleet gestoord. Vaag dacht hij dat Joanna, nu ze de sleutel had, zo kon binnenlopen en hem nog erger kon toetakelen. Maar hij voelde zich te suf om zich daar druk over te maken.

De volgende morgen voelde Jasmin zich sterk genoeg om beneden te ontbijten. Marit was laat thuisgekomen. Ze had gezegd dat het geweldig was geweest en aan haar stralende gezicht had Jasmin gezien dat dit over meer ging dan over de omgeving. Die morgen had ze verteld over de ouderwets aandoende herberg waar een kamer was ingericht die helemaal gewijd was aan Daphne du Maurier. Zelfs haar oude schrijfmachine stond er.

Het uithangbord, waar nog steeds Jamaica Inn op stond, bewoog piepend heen en weer in de wind. Het was precies zoals in het boek was beschreven, evenals de wat sombere omgeving.

„Ik ben helemaal geïnspireerd om het boek weer te gaan lezen. Net als *Rebecca*. Weet je nog hoe dat begon? Ik droomde dat ik weer op Manderly was. Dat landgoed ligt hier ook in de buurt."

„Werd je alleen geïnspireerd door het schrijftalent van Daphne du Maurier?" plaagde Jasmin.

Marit keek een beetje verlegen. „Misschien blijf ik hier wel wonen," zei ze.

„Je meent het. Is het zo serieus tussen jullie?"

„Het wordt wel steeds meer serieus. We hebben afgesproken om binnenkort naar Nederland te gaan om mijn moeder te bezoeken."

„Zeg dat maar niet tegen Joanna. Zij zal jaloers zijn. Inmiddels weten we dat ze erg vreemd kan reageren."

Ze gingen gezamenlijk naar beneden. Michael had de tafel al gedekt. Joanna was er ook met Emma. Michael vroeg Marit naar de vorige dag, maakte een plagende opmerking over Philip, waarop Joanna plotseling zei: „Denk maar niet dat je hem krijgt. Philip en ik zijn al jaren geliefden. Hij zal mij nooit in de steek laten." Hoewel Marit wist dat dit absoluut niet waar was, schrok ze toch. „Joanna, je weet heel goed dat dit onzin is," zei Michael kalm.

Op dit moment kwam oom Stanley binnen, in zichzelf mompelend. Hij ging zitten en greep zich aan de tafel vast of hij bang was te vallen. „Weer een heks gezien, oom Stanley?" vroeg Joanna liefjes.

„Geen heks. Wel een vreemde verschijning. Hij is op weg hierheen. Volgens mij zoekt hij jou." Zijn magere vinger priemde in Joanna's richting. „Oom Stanley," begon Joanna, zweeg toen omdat ze gestommel hoorden in de gang. Toen zwaaide de deur open. James stond enigszins zwaaiend op de drempel. Emma begon te huilen en duwde haar hoofd tegen Michael aan. James' gezicht was opgezet en begon bloeduit- stortingen te vertonen. Uit zijn neus, die twee keer zijn nor- male omvang had aangenomen, liep traag een straaltje bloed. „James, wat is er gebeurd? Ga even zitten, dan zal ik een dok- ter bellen," zei Michael geschrokken.

„Ik hoef geen dokter. Als jij me naar de Eerste Hulp Post wilt brengen? En haar naar de gevangenis. Zij heeft dit gedaan."

„Nou James," begon Michael.

„Je gelooft me niet? Ik zal zorgen dat de politie mij wel gelooft. Ik zei haar dat ik wegging en ze verloor plotseling haar verstand. Ze is gevaarlijk, dat mens."

Michael stond op, zette Emma op de stoel naast Jasmin. „Ik breng je even weg." Hij keek naar zijn vrouw die, naar het leek, volkomen ontspannen slokjes van haar thee nam.

„Ik bel Philip," besloot hij toen. Jasmin begreep dat hij hen niet meer met Joanna alleen durfde laten.

„Hij komt zo," zei hij even later. Philip was er inderdaad snel.

„Ik breng James even naar de Eerste Hulp Post, met een half uurtje ben ik terug," zei Michael.

„Maar dat kan Joanna niet gedaan hebben," zei Philip met een blik naar James die ineengezakt op een stoel hing. De kneuzingen in zijn gezicht werden steeds meer zichtbaar. „Het lijkt wel of hij door een wild beest is aangevallen."

Hij wierp een blik op de tengere Joanna die er nu angstig uit- zag. „Ze beschuldigen mij voortdurend van vreselijke din- gen," zei ze zachtjes. „Philip, neem me mee. Laten wij samen weggaan."

„Je weet dat het niet kan."

„Als jij indertijd met mij was getrouwd, was dit allemaal niet gebeurd."

„Ik heb nooit met je willen trouwen dat weet je heel goed. Tot voor kort wilde ik met niemand trouwen." Hij keek even naar Marit, een blik die Joanna onmiddellijk opving.

„Nu dus wel met haar. En Michael heeft iets met die ander. James wil vertrekken. Iedereen laat mij in de steek."

„Dat heb je wel aan jezelf te wijten," zei Philip kalm. „Ik weet niet of James ooit van je heeft gehouden. Daar zal nu niet veel meer van over zijn. Hoe heb je hem zo kunnen toetakelen?"

Ze haalde de schouders op. „Het was niet mijn bedoeling. Ik gooide een glazen asbak en die trof doel." Er verscheen even een triomfantelijk lichtje in haar ogen. Het was wel degelijk haar bedoeling geweest en ze voelde zich ook niet schuldig, dacht Jasmin.

Nadat ze de ontbijtboel had opgeruimd vroeg ze zich af wat ze nu moest gaan doen. Misschien deed ze er het beste aan ander onderdak te zoeken. Ze zou Joanna nooit meer vertrouwen en achtte haar overal toe in staat.

Toen Michael terugkwam zat ze in de serre. Ook Joanna was beneden gebleven. Emma zat dicht tegen Jasmin aan. Ze keek naar haar moeder met een blik of ze haar ook niet meer vertrouwde.

„Na behandeling heb ik hem op de trein gezet," zei Michael. „Hij had een gebroken neus en flink wat kneuzingen. Ze raadden hem aan een dag wat rustig aan te doen, maar hij wilde per se weg. Ik denk wel dat hij aangifte doet."

Hij keek naar zijn vrouw. Deze vroeg: „Waarom heb je hem niet tegengehouden?"

Hij fronste „Hoe? Door hem zo'n mep te geven dat hij enige tijd buiten westen is? Je hebt dit zelf over je afgeroepen, Joanna."

„Dus de politie komt hierheen?"

„Dat zou kunnen…"

Joanna zag nu heel bleek, haar handen beefden. „Philip, neem me mee," fluisterde ze.

„Waarheen? Je zult er wel af komen met een boete."

"Behalve als we ook vertellen wat er met Jasmin is gebeurd," zei Marit plotseling.

Philip keek haar fronsend aan. „Als je denkt dat we daar iets mee opschieten."

„Moeten we maar rustig afwachten tot de volgende hardhandige confrontatie met wie dan ook?"

Philip zei niets. Hij verkeerde duidelijk in tweestrijd. Hij had Joanna altijd de hand boven het hoofd gehouden. Wat zou er gebeuren als haar, Marit, iets overkwam vroeg deze zich af. Zou Philip dan Joanna blijven verontschuldigen? Daar kwam ze al snel achter.

Twee dagen later was het een prachtige zonnige dag. Marit had Emma meegenomen naar buiten. Ze deden eerst verstoppertje in het bos en daalden toen af naar de rivier. Er stond een half vermolmde bank en Marit ging zitten, terwijl Emma steentjes in het water gooide. Wat later ging ze een tuintje aanleggen.

Marit liet haar kliederen. Ze zag hoe het kind genoot. Emma werd altijd zo strak gehouden. Toen ze iets hoorde draaide ze zich snel om. Het was Philip.

„Ik dacht dat je deze week moest werken."

„Klopt. Daarom kom ik even afscheid nemen."

Hij kwam naast haar zitten legde zijn arm om haar heen. „We zullen elkaar deze week dus niet vaak zien. Dat zal niet meevallen, ik mis je al bij voorbaat."

Ze lachte even. „Ik jou ook."

„Ik denk niet dat Joanna het prettig vindt dat je Emma hier mee naar toe neemt."

„Misschien niet. Maar Emma heeft frisse lucht nodig."

Philip trok haar naar zich toe en legde zijn hand onder haar kin. De kus duurde tot Emma riep: „Dat doen pappa en mamma nooit."

„Misschien als jij het niet ziet," zei Philip tegen beter weten in.

„Ik zou je graag altijd bij me hebben, Marit. Ik heb nu een aannemer in de arm genomen voor de cottage. Ik wil daar graag met jou wonen. Maar ik wil je toch meer comfort kunnen bieden dan zoals het nu is."

„Is het wel verstandig zo dicht bij Joanna te gaan wonen?" vroeg ze.

„Ik denk niet dat Joanna nog lang thuis is," zei hij rustig. „Alle tekenen wijzen er op dat ze weer een tijdje moet worden opgenomen. Ze is weer aan het drinken en heeft zichzelf af en toe niet in de hand. Als ze enige tijd behandeld is dan is ze weer heel anders. Rustig, een beetje sloom zelfs. Wat zij heeft komt het dichtst bij manisch-depressief. We kunnen haar de dingen die ze doet eigenlijk niet echt aanrekenen. Er moet echter wel iets gebeuren, want vanzelf gaat dit niet over."

Emma was bij hen komen staan en keek ernstig naar hun op.

„Je gaat toch niet weg?" vroeg ze Marit.

„Misschien gaan wij bij elkaar wonen," antwoordde Philip voor haar.

„Mag ik dan met jullie mee?"

„Wil je niet bij pappa en mamma blijven?"

„Wel bij pappa." Ze noemde haar moeder niet en Marit dacht dat het kleine meisje meer opmerkte dan ze wisten.

„Ik ga nu," zei Philip en kuste haar opnieuw. „Met een week ben ik terug. Pas goed op jezelf. O ja, Jasmin heeft mij gevraagd of ik naar woonruimte voor haar wil uitkijken."

„Ik hoop niet dat je iets vindt," zei Marit, meer eerlijk dan loyaal. Ze wilde niet dat Jasmin wegging, dan voelde ze zich hier pas echt onveilig.

Even later ging Philip, hij keek nog een keer om en zwaaide. Ineens wilde hij dat hij niet weg moest. Marit leek hem ineens zo kwetsbaar. Hij liep het hele bos door, bleef aan de rand staan en keek om zich heen. Behalve het ruisen van de wind door de boomtoppen was er niets te horen. Toch meende hij dat hij iets had gezien. Iets tussen de bomen dicht bij de rivier. Hij bleef aarzelend staan. Zag hij spoken? Door alles wat er gebeurd was voelde hij zich onzeker. Hij liep tot bij zijn auto, keek nog eens om en keerde op zijn schreden terug. Hij stapte stevig door en toen hij Emma hoorde gillen, zette hij het op een rennen.

Marit was opgestaan en naar de oever van de rivier gelopen. Het water kabbelde rustig voort, maar Michael had gezegd dat het in het midden heel diep was. Ineens hoorde ze een gerucht en voor ze zich kon omdraaien werd ze bij haar bovenarmen gegrepen. Hoewel ze de persoon niet kon zien wist ze onmiddellijk dat het Joanna was. Ze worstelde om los te komen maar de vingers van de ander leken wel stalen klemmen. Het was duidelijk dat Joanna veel sterker was dan ze eruit zag. Marit schopte achteruit, maar haar voet trof geen doel. „Laat me los?" hijgde ze.

„Je hebt nu wel genoeg onrust gebracht, jij en je vriendin. Er moet een eind aan komen. Ik heb je gewaarschuwd, blijf bij Philip uit de buurt."

Een plotselinge duw deed Marit haar evenwicht verliezen en op haar knieën aan de rand van de rivier terecht komen.

Ze draaide zich met een ruk om en zag Joanna op zich afkomen. Ze had een knoestige stok in de hand. Om de slag te ontwijken maakte Marit een onhandige beweging en viel languit in de rivier. Hier was het water nog niet diep, maar haar voet zakte onmiddellijk in de modder. En ze kon niet op de oever klimmen omdat Joanna haar dreigde met de stok. Was ze soms van plan haar te vermoorden? Ze kon de volgende slag maar net ontwijken. Toen begon Emma te roepen.

„Mamma, ophouden! Je doet Marit pijn!"

„Houd jij je kop of ik gooi je erbij," siste haar moeder. Het kind keek Joanna verbijsterd aan en begon toen te gillen. Waarschijnlijk zag ze iets in de ogen van haar moeder wat haar vreselijk bang maakte. Marit voelde haar voeten verder wegzakken en probeerde zich vast te grijpen aan het riet op de oever. Een felle klap op haar handen was het gevolg. Ze kon zich niet vasthouden, verloor opnieuw haar evenwicht en viel zijdelings in het water.

Waarop Joanna haar opnieuw een mep gaf. Ze wil me dood hebben, dacht Marit, wanhopig proberend overeind te komen. Toen was daar ineens een stem: „Joanna, ben je gek geworden! Houd daar onmiddellijk mee op!" Philip greep de stok en smeet die weg, greep Joanna om haar middel en smeet haar er achteraan. Toen stapte hij het water in en hielp Marit overeind.

„Mijn arme meisje. O, het spijt me, het spijt me zo."

Marit hing drijfnat en klappertandend tegen hem aan. „Wat spijt je?" mompelde ze.

146

„Dat ik niet wilde zien hoe gevaarlijk ze kan zijn. Kom, we gaan naar mijn huis. Pak je koffer en ga met me mee. Het is hier te gevaarlijk."

„Waar is Emma?" vroeg Marit, plotseling in paniek. Philip keek om zich heen, Marit intussen stevig vasthoudend. Er was geen spoor van het kind, evenmin als van haar moeder.

„Ze zijn weg," zei hij.

„Ze is toch niet in het water gevallen?" Of gegooid, dacht ze er achteraan. Philip keek naar de rivier die rustig voorbij-gleed. „Dat zou ze haar kind nooit aandoen. Je weet hoe ze met Emma omgaat."

„Ja. Maar nu is ze niet normaal. Ze zei: 'houd je kop of ik gooi je erbij'."

Philip streek zich over het voorhoofd. Het zweet brak hem plotseling uit. Hij liep een eindje langs de oever, zei toen: „We moeten hen zoeken. Joanna heeft haar vast naar huis gebracht."

Marit zei niets. Ze was ineens vreselijk bang dat Joanna het kind iets had aangedaan. Ze snel mogelijk liepen ze door het bos. Op een gegeven moment bukte Philip zich en raapte een schoentje op. Ze keken elkaar aan. „Ik denk dat dit het bewijs is dat ze met Emma is gevlucht. In haar haast heeft ze niet gemerkt dat het kind een schoentje verloor. Of ze nam niet de tijd om het op te rapen."

„Dat wil niet zeggen dat ze buiten gevaar is."

„Dat weet ik," zei Philip kortaf.

In de serre zaten Michael en Jasmin en voerden onder het genot van een glas wijn blijkbaar een interessant gesprek. Beiden kwamen haastig overeind toen ze hen zagen. „Wat is er gebeurd? Ben je in de rivier gevallen?" vroeg Jasmin.

„Niet gevallen. Geduwd."

„Neem eerst een warme douche," raadde Philip. „Intussen bespreek ik met Michael wat er moet gebeuren."

Michael stond nog steeds, zijn hand omknelde de stoelleu-ning. „Joanna?" fluisterde hij.

Philip knikte. „Dit kan niet langer, Mike. Ze denkt dat ze iedereen die haar de voet dwars zet uit de weg moet ruimen.

Ze heeft een ernstige geestelijke inzinking. Ze moet echt behandeld worden."

„We zullen haar eerst moeten vinden. Hier is ze niet," zei Michael.

Terwijl Jasmin met Marit naar boven ging en haar verhaal aanhoorde, doorzochten de beide mannen het hele huis.

„Mijn gevoel voor humor staat zo langzamerhand op een laag pitje," zuchtte Jasmin. „We kunnen dit niet afdoen met te zeggen dat Joanna alleen een beetje vreemd is. Ze is echt gevaarlijk."

„Als zij hier niet verdwijnt dan ga ik," antwoordde Marit die nog steeds beverig was.

„We moeten hier in elk geval tot morgen blijven, want dan komt die vrouw, die Roelanda. Ik wil weten wat zij te zeggen heeft."

„Nou, als het negatief is over Joanna, wat ik wel verwacht, dan mogen we die Roelanda wel beschermen."

„Misschien is ze wel voorgoed vertrokken," zei Jasmin hoopvol.

„En Emma dan?"

Jasmin zuchtte. „Wij zijn toch wel in een wespennest terecht gekomen."

„Jij en Michael?" vroeg Marit voorzichtig.

„Michael is doodongelukkig in zijn huwelijk. Eigenlijk altijd geweest. Wij houden van elkaar. Maar hij wil Joanna niet in de steek laten en vooral Emma niet." Jasmin begon Marits haar in model te föhnen.

„Wat zou je vinden van een man die zijn geestelijk labiele vrouw en zijn kind in de steek laat voor een meisje dat hij pas enkele maanden kent?" vroeg Marit.

„In dit geval zou ik er geen problemen mee hebben," zei Jasmin prompt.

„Bij Nick was dat anders. Hij kon niet kiezen, hij hield nog steeds van zijn vrouw. Hij wilde mij erbij en daar laat ik mij niet voor gebruiken."

Marit zei niets. Ze kon zich niet voorstellen dat Michael hier alles in de steek zou laten voor Jasmin. Hij kwam als zeer betrouwbaar over en Joanna had hem echt nodig. Niet als geliefde, maar meer als een soort houvast, iemand die er altijd voor haar was.

Toen ze beneden kwamen kwam Michael juist binnen. „Geen spoor van haar of Emma," zuchtte hij. „Ik maak me ernstig ongerust. Ik denk dat we de politie moeten waarschuwen. Philip doorzoekt nu een ander deel van de tuin. We hebben een regeling getroffen voor ons werk. We zullen beiden hier blijven, we willen jullie niet alleen laten."
„Verwacht je dat ze met een revolver hierheen komt?" vroeg Jasmin een tikje spottend.
„We kunnen haar maar beter serieus nemen," zei Michael ernstig.
Ze bleven die avond bij elkaar zitten, ook oom Stanley was binnen. Die avond belde Roelanda nog een keer dat ze aan het eind van de volgende morgen zou arriveren. Ze hoopte dat Michael ook thuis was.
„Ik ken dat mens nauwelijks. Ik heb geen idee wat ze wil. En ze komt wel heel erg ongelegen," mopperde Michael.
„Ze zal misschien veel duidelijk maken," zei Jasmin.
„Als jij weet wat er aan de hand is, kun je mij beter inlichten, zodat ik voorbereid ben," zei Michael.
Maar Jasmin zweeg. Ten eerste was haar lang niet alles duidelijk. En ten tweede was het morgen vroeg genoeg om Michaels leven overhoop te gooien.
Even later kwam Philip binnen. Hij schudde het hoofd op hun vragende blikken. „Geen spoor. Het lijkt of ze is opgelost. Zo ver kan ze niet zijn, lopend en met Emma bij zich."
„Misschien heeft ze een lift gekregen," opperde Marit.
„Ze zou nooit met vreemden meegaan. Ze reageert anders dan anderen," meende Philip. „Als haar ziekte echt de kop op steekt, weet ze het verschil niet meer tussen goed en kwaad. Noch tussen dag en nacht en tussen heden en verleden. Toen jij met haar trouwde, Michael, heb ik je al gezegd dat ze wel eens problemen zou kunnen geven."
„Dat weet ik. Maar ze beweerde zwanger te zijn en ik meende dat ik niet meer terug kon." Niemand reageerde. Maar

iedereen dacht hetzelfde, hij was met open ogen in de val gelopen.

„Wat doen we nu? Kunnen we rustig naar bed gaan, terwijl die twee ergens rondzwerven?" vroeg Philip.

„We kunnen nu weinig meer doen dan de deur openlaten. Ik ga naar mijn kamer om wat te werken," zei Michael.

„Wat wil jij? Met me mee naar de cottage?" vroeg Philip aan Marit. Natuurlijk wilde ze dat.

„Vanavond is niet de geschikte avond," fluisterde ze.

Hij glimlachte. „Je hebt gelijk."

„Je kunt hier gerust ook blijven," stelde Michael voor. „We zullen geen van allen veel slapen."

Jasmin en Marit verdwenen naar hun kamer. Ze gingen wel in bed liggen maar lieten een lampje branden. Hun gesprekken gingen steeds over hetzelfde. Waar kon Joanna zijn? En was ze zo in de war geraakt doordat zij er waren? Er waren immers allerlei zaken veranderd, zoals Philip en Marit die verliefd werden. Michael die Jasmin erg leuk vond en meer dan dat. James die er plotseling vandoor ging.

Na enige tijd viel Marit toch in slaap. Jasmin was echter klaar wakker en na anderhalf uur gleed ze haar bed uit en glipte de gang op naar Michaels kamer. Hij zat met het hoofd in de handen achter zijn bureau. Jasmin bleef op de drempel staan, fluisterde zijn naam. „Kom binnen. Kun je ook niet slapen? Ga zitten, dan maak ik iets te drinken."

Dat was weer echt Michael, altijd gewend te zorgen. Ze ging op de leren bank zitten.

„Zal ik de open haard aansteken?" vroeg hij. Ze knikte, strekte even later haar blote voeten naar het vuur. Hij keek haar aan met zo'n intense blik dat ze het er warm van kreeg.

„Je bent zo mooi," zei hij met iets weemoedigs in zijn stem. „Ach Jasmin, ik wilde dat er een toekomst was voor ons beiden."

„Die toekomst zullen we zelf moeten maken. Joanna is ziek en ik ben het met je eens, je laat je zieke vrouw niet in de steek. Maar zij laat jou wel in de steek. De affaire met James bijvoorbeeld. Ze houdt niet van je. Ze heeft die zwangerschap indertijd alleen verzonnen om jou aan zich te binden. Ze wilde Philip, maar hij weigerde. Maar jij… was je zo verliefd Michael?"

„Zeer tijdelijk," mompelde hij. „Maar ik voelde me wel verantwoordelijk vanwege die vermeende zwangerschap."

„Ze was niet zwanger. Ze is nooit zwanger geweest," zei Jasmin nadrukkelijk.

Hij staarde haar aan. „Maar Emma…"

„Is niet haar dochter. Kan niet van haar zijn. Door dat ongeluk…"

„Hoe weet je dat?" viel Michael haar scherp in de rede.

„Het spijt me. Marit heeft de huisarts er over horen praten met Joanna. Door dat ongeluk had ze een bekkenbreuk en ernstige bloedingen. Ze moesten haar baarmoeder verwijderen."

„Dat kan de dokter niet allemaal hebben gezegd, met Marit onder zijn gehoor."

Jasmin keek op haar handen. Ze wilde hem geen pijn doen. Maar ze kon hem niet sparen. Hij zou er nu achter komen dat de vrouw die hij altijd had verzorgd en de hand boven het hoofd had gehouden, dat zij hem vanaf het allereerste begin had bedrogen.

„Ik heb de assistente gebeld en gezegd dat ik enkele gegevens nodig had. Ik deed net of ik vanuit het ziekenhuis belde."

„Waarom deed je dat allemaal?"

„Opdat jij de waarheid onder ogen zou zien. Uiteindelijk wil ik alleen maar dat jij gelukkig bent, Michael. Dat verdien je. Je moet niet blijven hangen in een huwelijk zonder liefde."

Hij stond op en kwam naast haar zitten, strekte zijn handen uit naar de open haard of hij het ineens koud had. „Ik weet niet of ik nog wel weet hoe het moet: Gelukkig zijn," mompelde hij.

Ze legde haar hand op de zijne. „Ik denk dat ik het weet." Ze glimlachte bemoedigend toen hij haar aankeek. Ze besefte ineens dat Michael haar nodig zou hebben om hem uit dit dal te halen. „Drie verknoeide jaren," mompelde hij voor zich heen. „Het was Emma die me op de been hield. Maar als ze

niet van Joanna is, van wie is ze dan wel?" schrok hij ineens.
„Philip zei dat ze geadopteerd is."

„Dus hij wist dat Joanna niet de moeder was. Iedereen weet het, behalve ik. Ik ben wel erg naïef, nietwaar?"

„Als dit je niet wordt verteld, hoe kun je het dan weten," zei ze nuchter.

„Ik vind die adoptie nu ook twijfelachtig," zei hij haar aankijkend.

„Daarvoor komt die Roelanda hierheen. Zij weet er meer van."

„Het zou dus kunnen dat ik Emma kwijt raak." Jasmin zei niets. Die mogelijkheid zat er inderdaad in. En dan had zij daaraan meegewerkt. Zou Michael haar dat ooit kunnen vergeven?

HOOFDSTUK 11

De volgende morgen waren ze allen zeer vroeg beneden. Maar niemand was ontspannen genoeg om rustig te ontbijten. Michael en Philip hadden opnieuw, zonder resultaat, de tuin doorkruist. Marit nam af en toe een hapje van haar toost en bleef voor het raam staan.

„Wanneer bel je de politie?" vroeg Philip. „Jij bent de echtgenoot, jij bent degene die de beslissing moet nemen."

„Als Joanna de politie ziet zal ze totaal in paniek raken. En wat gaat ze dan doen? Ik maak me het meest ongerust over Emma."

„Ze was altijd overdreven beschermend tegenover Emma, ze zal heus wel zorgen dat haar niets overkomt," meende Philip. Marit dacht aan de dag ervoor toen Joanna tegen het kind had geschreeuwd: houd je kop! Ze zei echter niets.

„Kijk eens." Dat was Jasmin, die voor het andere raam stond. Ze schoten alle drie overeind. Door de tuin kwam oom Stanley aansloffen. Hij hield Emma bij de hand. Het kind praatte tegen hem, maar het was niet duidelijk of hij ook antwoordde. Michael was in enkele seconden buiten en Emma rende naar hem toe. Hij wiegde het kind in zijn armen en opnieuw dacht Jasmin: stel dat hij haar moet afstaan. Toen ze even later weer aan tafel gingen, was oom Stanley de enige die kennelijk honger had. Hij bediende zich van de eieren en de worstjes of er niets aan de hand was. „Waar heb je haar gevonden, Stanley?" vroeg Michael.

„Wie?"

„Emma."

„Het kind. Ze vond mij. Ik was bij het hek en ze kwam aanlopen."

„Gewoon over de weg?" vroeg Michael.

„Hoe anders?"

Michael zuchtte. Van oom Stanley zou hij niet veel wijzer worden. „Wil je iets eten?" vroeg hij Emma.

Deze keek van de een naar de ander, wees toen naar Marit en zei: „Zij lag in het water. Dat deed mamma."

„Waar is mamma nu?" vroeg Michael. Het kind haalde de

schouders op, hapte gretig in haar toost met jam die Jasmin voor haar klaargemaakt had. „We liepen en we liepen en ik was moe en mamma wilde mij niet dragen. En mamma liep steeds harder en toen was ik alleen."

„Ze heeft haar gewoon achtergelaten," fluisterde Marit.

„Ik lag in het gras en ik sliep een beetje. Toen werd ik wakker en ik ben terug gaan lopen en toen zag ik oom Stanley."

„Joanna kan niet ver zijn," meende Philip.

„Ik heb geen plannen haar te gaan zoeken," zei Michael. Philip fronste, knikte toen.

„Oké, dan ga ik. We kunnen haar niet aan haar lot overlaten. Ze is ziek, Michael."

„Kan zijn. Maar daarnaast is ze ook een bedriegster en gemeen. Wat stelde al haar bezorgdheid voor Emma eigenlijk voor? Ze liet het kind gewoon midden in de nacht achter op een eenzame weg."

"Ga jij met me mee Marit?" vroeg Philip. Deze knikte. Ze begreep de woede van Michael.

Er was hem teveel aangedaan. En niet alleen vandaag. Maar dat nam niet weg dat Philip gelijk had. Ze konden deze vrouw nu niet in de steek laten. „Waar moeten we zoeken?" vroeg ze, toen ze eenmaal in de auto zaten.

„Ik heb geen idee. Kijk in elk geval goed om je heen." Af en toe passeerde hen een auto, maar verder was de hele weg verlaten. Maar ze konden ook niet verwachten dat Joanna hier langs de weg zou lopen. Ze kon zich bij wijze van spreken achter de hoge heg verborgen houden. „Als wij hier niet waren gekomen, was alles misschien nog normaal," zei ze als in gedachten.

„Zou kunnen. Maar vroeg of laat had Joanna toch een inzinking gekregen. Ze heeft zichzelf al een tijdje niet meer in de hand. Ze is ook weer begonnen met drinken. Ze zal nu onder behandeling moeten. Ik hoop dat Michael haar los kan laten. Dat hij eindelijk eens voor zichzelf kiest." Plotseling stopte hij en Marit keek de weg af en tuurde achterom. „Wat..." begon ze.

„Ik krijg ineens een idee." Nu zag ze pas dat ze vlakbij de cottage van Philip waren gestopt. Hij draaide het hek in en samen liepen ze op de deur af. „Heeft ze een sleutel?" vroeg Marit.

„Nee. Maar er is een raam wat niet goed sluit." Hij opende de deur met zijn sleutel en ging haar voor naar de woonkamer. Daar op de bank lag Joanna, een lege fles cognac tegen zich aangeklemd alsof het haar enige houvast was. Philip boog zich over haar heen en zei haar naam. Er kwam geen enkele reactie. Hij voelde haar voorhoofd wat kil en klam aanvoelde.

„Ik bel een ambulance," besliste hij. „Dit is meer dan dronken. Ze kan wel een alcoholvergiftiging hebben. Die fles cognac was bijna vol. Ik weet dat ze best wat kan hebben. Maar ze slikt ook medicijnen."

Hij tikte een nummer in op zijn mobiel en legde de situatie uit. Vervolgens gingen ze vlakbij Joanna zitten. „Wat heeft ze met haar leven gedaan?" zuchtte Marit.

„Het is niet allemaal haar eigen schuld," antwoordde Philp. „Deze ziekte was in aanleg aanwezig. Als kind was ze erg eenzaam, daardoor kreeg ze een contactstoornis. Daarna het ongeluk waarbij ze haar beide ouders verloor en zelf ook ernstig gewond raakte. Toen hoorde ze dat ze geen kinderen kon krijgen. Dit alles heeft er toe geleid dat ze ging drinken en dat laatste heeft het proces van haar ziekte versneld."

„Waarom heb je Michael niet gewaarschuwd voor hij met haar trouwde?" vroeg ze.

„Michael was vastbesloten. Ik kon het niet over mijn hart verkrijgen hem te vertellen dat die zwangerschap niet waar kon zijn. Ik dacht trouwens dat ze van elkaar hielden."

„Moeten we Michael nu niet bellen?"

„Zodra Joanna weg is gaan we terug en vertellen we hem hoe de situatie is. Dan is het nog vroeg genoeg."

Zou Michael weer het gevoel hebben dat hij zijn vrouw nu niet in de steek kon laten? Dan was er weinig hoop voor hem en Jasmin, dacht Marit.

De ambulance liet niet lang op zich wachten. Philip besloot mee te gaan en Marit reed in de auto terug naar de Fairiesgarden. Ze had nog weinig van feeën gemerkt, dacht ze wrang. Oom Stanley had het regelmatig over heksen. En dat was dichter bij de waarheid.

Eenmaal bij het huis aarzelde ze even om naar binnen te gaan. Joanna was dan wel gevonden, maar de boodschap die ze moest brengen was niet zo leuk.

Emma zat bij Jasmin op schoot. Ze leek diep in slaap. Jasmin legde een vinger op haar lippen en legde het kind voorzichtig op de bank. „Ze heeft natuurlijk vannacht niet geslapen," zei ze.

„Ik zal daar een hartig woordje over spreken met Joanna," zei Michael verontwaardigd.

„Dan zul je nog even moeten wachten. We hebben haar wel gevonden. Maar ze is niet aanspreekbaar. Ze was in Philips huis. Ze was buiten kennis, het leek ons dat ze veel had gedronken. Philip is met de ambulance mee. Ze zal daar moeten blijven."

Michael maakte een wanhopig gebaar. „Kan iemand mij zeggen hoe het nu verder moet?"

Niet verder met haar. In elk geval niet met Joanna, dacht Jasmin, maar ze zweeg.

Ze zaten een beetje moedeloos bij elkaar. Jasmin was blij toen haar telefoon begon te rinkelen. Wie het ook was, het betekende even wat afleiding.

„Met Roelanda Vermeer. Ik sta hier in een plaatsje dat Fowey heet. Volgens de kaart moet ik in de buurt zijn. Maar ik heb nu even geen idee hoe ik verder moet."

Je bent niet de enige, dacht Jasmin, al bedoelde Roelanda dit letterlijk. Toen zei ze: „Ik kom je wel halen. Als je wacht op de parkeerplaats bij de haven, dan ben ik er binnen een half-uur."

„Dat was Roelanda over wie ik je verteld heb. Wil je soms mee?" vroeg ze aan Michael.

Hij schudde het hoofd. „Ik blijf bij Emma. Als ze straks wakker wordt is het beter als ik bij haar ben." Hij liep met haar mee naar de gang. „We moeten haar wel ontvangen, denk je ook niet?"

Jasmin knikte. „Ze lijkt me best aardig."

156

„Best mogelijk. Maar ze brengt onheil. En dat heb ik de laatste tijd genoeg over me heen gehad."

„Soms heb ik het gevoel dat het meeste ervan mijn schuld is," zei Jasmin.

„Je hebt een en ander in gang gezet. Maar voor jullie hierheen kwamen, leefde ik niet echt."

„Het kan alleen maar beter worden," zei ze, even haar hand op zijn arm leggend. „Wat de toekomst ook brengt, ik ben er voor je."

Hij streelde haar wang. „Je bent werkelijk een lichtpuntje."

Eenmaal in de auto dacht ze: je gebruikt wel veel grote woorden Jasmin. Maar wat als Michael verder wil met de zieke Joanna? Dan was er voor hen immers geen toekomst. Hij zou toch wel inzien dat hij nu eindelijk aan zichzelf moest denken? Dat hij Joanna niet echt kon helpen?

Ze zag het Hollandse nummerbord nog eerder dan de jonge vrouw die op het muurtje zat wat om de parkeerplaats lag. Ook de ander had haar gezien en kwam haar richting uit. „Jij bent dus degene die zulke leuke columns over deze omgeving schrijft," zei ze.

„En jij bent degene die op zo'n artikel afkomt," reageerde Jasmin. De ander knikte alleen, blijkbaar nog niet van plan veel te zeggen. Ze gingen nu samen op het muurtje zitten.

„Heb je geen bagage?" vroeg Jasmin verbaasd. „Ik heb hier voor een nacht een hotel geboekt. Daar heb ik mijn bagage achtergelaten."

„Zullen we dan maar gaan?" Samen liepen ze naar de auto.

„Je kent Joanna Hoover dus?" vroeg Jasmin toen ze het stadje al achter zich hadden gelaten.

„Zij was geen type dat je echt leert kennen. Maar soms werkte ik met haar samen. Ze was eigenlijk altijd alleen. Tot ze halsoverkop met Michael van Kempen trouwde."

Jasmin keek even opzij. Ze was een aardig type. Intelligente ogen achter een moderne bril. De donkere haren droeg ze kort. „Kende je Michael wel goed?" vroeg ze aarzelend.

De ander lachte. „Niet zo goed als ik toen gewild had. En nu? Is hij gelukkig met Joanna?"

„Die indruk heb ik niet," antwoordde Jasmin. De gemakkelijke manier waarop de ander over Michael praatte, stak haar een beetje. Zo goed kende ze hem immers niet.

„Michael was zo'n aardige vent," zei de ander toen. „Ik heb nooit begrepen wat hij in Joanna zag. Vermoedelijk de afhankelijke manier waarmee ze zich opstelde. Ze gedroeg zich soms alsof ze geen lucifersdoosje kon dragen. Is ze nog zo?"

„Kom en oordeel zelf, zou ik zeggen. Hoewel ze op dit moment in het ziekenhuis ligt."

„Wat mankeert haar?"

„Ik weet het niet precies." En wat ik weet, zeg ik niet, dacht Jasmin erachteraan.

„Ze was vroeger al zo'n type dat het normale leven eigenlijk niet aankon. Aan de andere kant, als je weet wat ze vermoedelijk op haar geweten heeft... Nou ja, ik praat er wel met Michael over."

Doe dat vooral, dacht Jasmin. Lieve help, wat had ze in huis gehaald?

Iemand die vroeger verliefd was op Michael, zoveel was wel duidelijk.

„Ben je eigenlijk getrouwd?" vroeg ze bruusk.

De ander schudde het hoofd. „Een vaste relatie is moeilijk met dit beroep. Ik heb geen vaste vluchtroute, zoals Joanna indertijd had. Amsterdam-Londen en vice versa. Ik bereis heel de wereld. Je moet eigenlijk iemand hebben die datzelfde doet en die heb ik tot nu toe niet gevonden."

Michael zou dat begrijpen, dacht Jasmin. Hij bleef dan wel aan de grond, maar zijn werktijden waren ook onregelmatig. „Toen Joanna stopte met werken wilde ze waarschijnlijk dat Michael hele dagen bij haar was," veronderstelde Roelanda.

„In elk geval heeft Michael daar geen gehoor aan gegeven. Hij werkt nog steeds op Heathrow."

Toen Jasmin het hek binnenreed dat ze expres had laten openstaan, keek Roelanda nieuwsgierig om zich heen. „Ongelofelijk, dat één familie zo'n enorme ruimte heeft."

Jasmin stopte voor het huis en beiden stapten uit. „Je foto's waren prachtig en je beschrijving ook. Ik dacht bij mezelf:

dat moet wel heel erg geflatteerd zijn. Bijvoorbeeld foto's uit een bepaalde hoek genomen, waardoor alles er op zijn mooist op staat. En de pen is ook gewillig. Maar je hebt niet overdreven. Eerlijk is het niet, vind je wel?"

„Voorzover ik weet zijn ze er eerlijk aangekomen," bromde Jasmin.

Op dat moment kwam Michael naar buiten, met Emma aan de hand.

„Mike, hoe is het met jou? Ken je mij nog? Als je nu nee zegt dan ben ik zwaar beledigd."

„Dan zal ik ja moeten zeggen. Maar ik weet natuurlijk wie je bent."

„En dat is dus het kind." Roelanda knielde bij Emma neer, die achteruit week.

„Een exotisch type. Ze heeft niets van Joanna, heeft je dat nooit verwonderd, Mike?"

„Ik ken de vader niet," zei Michael afwijzend.

„Nee. En de moeder bij nader inzien ook niet. Laten we naar binnen gaan."

Michael glimlachte naar Jasmin. „Niet weggaan," mompelde hij. Ze voelde zich gelijk een stuk beter.

„Philip is juist terug. Hij is bezig met koffie zetten. Dit is Marit, zij komt ook uit Nederland."

„Ging jij Nederland zo missen dat je steeds meer landgenoten om je heen verzamelt?" vroeg Roelanda plagend.

„Het leek me goed als Emma Nederlands leerde," zei Michael een beetje stijf.

Philip kwam binnen met de koffie waardoor de sfeer wat meer ontspannen werd. Roelanda vertelde ongedwongen over haar werk en haar reizen. Ze vindt zichzelf wel erg belangrijk, dacht Jasmin. Maar ze wist dat de ander haar ook irriteerde doordat ze op zo'n vrije manier met Michael omging. Op een manier of ze elkaar al jaren kenden. Toen er een moment van stilte viel zei Roelanda ineens: „Wat doen we nu met Emma?"

„Met Emma?" herhaalde Michael. „Ik beschouw haar als mijn dochter."

„Ja. Maar dat is ze niet. Evenmin als van Joanna."

„Ik begrijp dat je hier bent gekomen om een en ander uit de doeken te doen?" zei Michael strak.

Jasmin legde haar hand op de zijne die hij tot een vuist had saamgeknepen. Het deed haar goed te voelen dat hij iets ontspande. In plaats van antwoord te geven wendde Roelanda zich tot Philip en vroeg: „Wat is er met Joanna? Wordt ze weer beter?"

„Voorlopig niet. Het zal veel tijd kosten," antwoordde deze.

„Dus ze kan niet verhoord worden. Misschien maar beter," mompelde Roelanda. „Hoewel ze alles zelf heeft veroorzaakt zal ze een en ander waarschijnlijk niet aan kunnen."

„Spreek niet langer in raadsels," zei Philip. „Je bent ergens voor gekomen, en volgens mij is dat niet iets goeds."

„Jullie weten dat Emma niet Joanna's dochter is."

„Dat heb ik al heel lang vermoed," mompelde Michael.

„Wat wij weten, althans wat ze mij heeft verteld, is dat ze het kind heeft geadopteerd," zei Philip.

„Ze heeft jullie dus van alles wijsgemaakt. Michael, herinner jij je Zahara?"

Michael fronste. „Zahara."

„Er is een woestijn die Sahara heet," zei Philip behulpzaam.

„Dat was een Somalische vrouw. Zo'n vierenhalf jaar geleden veroorzaakte zij een enorme opschudding op Schiphol."

Een asielzoekster?" zei Michael half vragend.

„Een asielzoekster uit Somalië," bevestigde Roelanda. „Ze zat een paar dagen in het opvangcentrum en wilde toen zelf terug. Ik heb veel contact met haar gehad in die tijd. Ze was hier gekomen met haar dochter, Shahinde. Een kindje van vier maanden. Ze was gevlucht uit Somalië omdat ze zwanger was geraakt zonder dat ze getrouwd was. Daardoor was ze min of meer vogelvrij en haar leven niet zeker. Zo gaat dat soms in die landen," onderwees ze Jasmin.

„Daarvan ben ik op de hoogte," reageerde deze koel. Dacht ze dat zij achterlijk was?

„Doordat ik in veel landen kom en zeer geïnteresseerd ben in vreemde talen, riepen ze mij erbij."

„Dat herinner ik mij," zei Michael nu. „Maar jij kon er evenmin een touw aan vastknopen."

„Ik kon niet ontdekken wat ze precies bedoelde," gaf Roelanda toe. „Ik dacht dat ze haar kind had achtergelaten in Somalië. Maar ze had de baby bij zich, slapend in een weekendtas. Ze had deze tas even neergezet bij haar andere bagage toen ze naar het toilet moest. Natuurlijk was dat onverstandig. Maar ze verwachtte niet dat iemand zo misdadig zou zijn haar kindje mee te nemen. Niet in dit land waar ze dacht dat ze veilig was. Maar toen ze terugkwam was de tas verdwenen en niemand begreep waar ze het over had. In die tussentijd was degene die het kind had gestolen ervandoor."

Even bleef het doodstil. „Waarom denk je dat Joanna het kind heeft meegenomen?" vroeg Philip toen. „Alleen het feit dat Emma donker is, is geen bewijs."

„Ik heb altijd contact gehouden met Zahara," zei Roelanda onverstoorbaar. „Toen ik haar beter begreep kon ze mij duidelijk maken dat een blonde stewardess naar het kindje gekeken had. Zij had beloofd op te passen terwijl Zahara even weg was. En zoals ik al zei, toen ze terugkwam was ze weg met het kind. Een stewardess weet wel een plekje in het vliegtuig om zo'n baby uit het zicht te houden. Joanna slikte medicijnen, misschien heeft ze het kind iets toegediend. Joanna was soms erg vreemd. De vlucht naar Londen duurt maar kort. Na enkele maanden trouwde ze met Michael en nam ontslag. Ik had geen contact meer met haar. Michael vertelde me indertijd dat Joanna een kindje had, een donker kindje. Toen kwam het even bij me op. Maar ik duwde het weg. Tot ik die foto zag. Ik dacht, ze lijkt op Zahara die nu in Italië woont. Ze is nu getrouwd en heeft twee kinderen. Haar man weet niets van haar eerste kind. Mogelijk wil ze haar niet terug vanwege eventuele problemen die ze zal krijgen. Maar ik vind dat ze een kans moet krijgen."

„Weet je wel wat je hier teweegbrengt?" vroeg Michael.

„Ja. Maar ik kan me niet voorstellen dat je ongestoord verder kunt leven, nu je dit weet."

„Wat ben je van plan te gaan doen?" vroeg Jasmin.

„Helemaal niets. Het is nu aan jullie. Joanna is ziek, we kunnen haar niet ter verantwoording roepen. Mogelijk heeft Emma hier een beter leven dan bij haar moeder. Mogelijk willen jullie een dna-test laten doen. Nogmaals het is nu jullie beslissing. Als de politie er in gemengd wordt dan zal de zaak grondig worden onderzocht en als het klopt wordt Emma bij haar moeder geplaatst. Het gaat er ook om wat het beste is voor Emma. Ik weet dat ik jullie veel onrust heb gebracht. Maar ik kan hier niet langer mee leven."

Het bleef geruime tijd stil. Ieder was verdiept in zijn eigen gedachten, overwoog de mogelijkheden.
„Kan ik Joanna opzoeken?" vroegt Roelanda nu.
„Daar zou ik niet aan beginnen," antwoordde Philip. „Het zou haar alleen maar van streek maken. Met Joanna kunnen we niet overleggen, want zij kan niet voor Emma zorgen. Althans nu niet. En misschien wel nooit meer. Dus Michael, de zorg voor Emma komt op jou neer. Je zult hulp moeten nemen."
Jasmin gaf een kneepje in zijn hand maar zei niets. De beslissing hoe dit alles aan te pakken, lag bij Michael. Roelanda vertelde nu een en ander over Zahara, die in Italië met een landgenoot was getrouwd. Ze had pas gehoord dat ze in dat land mocht blijven. Ze vertelde over de twee kinderen die slechts een jaar in leeftijd verschilden. „Daardoor is het verdriet om Shahinde een beetje naar de achtergrond gedrongen. Ik heb haar ook niet verteld dat ik haar dochter op het spoor was."
„Heb je haar adres?" vroeg Michael.
Roelanda knikte, gaf hem een velletje papier, waarop uitgebreide gegevens stonden. Ook een routebeschrijving voor als hij van plan was naar Italië te vertrekken. Zahara verbleef in Riva, een stad aan het Gardameer. En daarmee had hij eigenlijk een beslissing genomen, dacht Jasmin. Met dat adres zou hij haar kunnen vinden.
Toen Roelanda was vertrokken moest Jasmin toegeven dat deze vrouw dan wel zeer kordaat optrad, maar dat ze toch het beste wilde voor het kind.
„En nu? Ik begrijp dat je haar wilt opzoeken," zei Philip.
Michael knikte. „Die vrouw heeft gelijk. Ik kan niet leven met de gedachte dat ik een gestolen kind heb. Er zijn echter prak-

tische problemen. Wie zorgt er bijvoorbeeld voor oom Stanley?"

„Wij," antwoordde Philip prompt. „Als jij dat goedvindt, tenminste. Ik heb het er met Marit over gehad. Zij wil haar moeder een tijdje te logeren vragen."

„Als chaperonne?" plaagde Jasmin.

„Gewoon als moeder," antwoordde Marit.

„Dat is een heel goed idee," zei Michael. „Dan ben je niet alleen als Philip werkt. „Ik ga Joanna bezoeken. Ik wil toch proberen er achter te komen of zij zich nog iets herinnert van wat er enkele jaren geleden is gebeurd. En daarna vertrek ik naar Italië."

„Mag ik mee?" vroeg Jasmin.

„Dat zou ik bijzonder prettig vinden." Hij legde een arm om haar heen en ze leunde tegen hem aan. Ze hield van Michael. Hij was zo eerlijk, zo integer, hij had zo weinig geluk gekend. Maar ze was ook bang.

Als hij Emma moest afstaan, zou zij zich altijd schuldig voelen. Ongewild had zij deze hele toestand in gang gezet. „Het spijt me. Als ik er niet geweest was zou je nu nog je rustige leven leiden," zei ze.

„Bedrieglijk rustig," antwoordde Michael. „Ik ben wel heel erg naïef geweest."

„En ik dan," viel Philip hem bij. „Ik wist dat Joanna geen kinderen kon krijgen. En toch vroeg ik me nauwelijks af hoe Emma in haar leven was gekomen."

„Het enige wat ik nog kan doen, is proberen het goed te maken," zei Michael langzaam.

Jasmin keek naar Emma die op haar geliefde plekje op de grote poef zat. Het poppenhuis stond vlakbij haar. en ze was geconcentreerd bezig de popjes in stoeltjes te krijgen.

Zijzelf zou er heel veel moeite mee hebben als Michael zich verplicht voelde het kind aan de moeder terug te geven.

Diezelfde dag ging Michael met Jasmin op weg om Joanna op te zoeken. Marit bleef met Philip op de Fairiesgarden. „Heb jij je moeder al gebeld?" vroeg hij.

Ze knikte. „Ik heb ook gezegd dat jij hier tijdelijk woont als Michael weg is. Ze vroeg of wij iets hadden samen."

„En wat heb je gezegd?" Philips donkere ogen lieten de hare niet los.

„Dat het er wel op begint te lijken."

Hij schoot in de lach, trok haar in zijn armen. „Je drukt je wel voorzichtig uit. Ik heb allerlei plannen. Mijn huis door vakmensen laten opknappen, zodat een en ander een beetje opschiet. En dan gaan samenwonen en na verloop van tijd trouwen."

„Als je het zo stelt, lijkt het er inderdaad op dat wij samen iets hebben," zei ze droog. Lachend zoende hij haar en ze lieten elkaar niet los tot Emma riep: „Dat doen mijn pappa en mamma nooit!"

„Het gaat erop lijken dat je een pappa en mamma krijgt, die dat wel doen," zei Philip. „Dat is Jasmin wel toevertrouwd, denk je ook niet?"

Marit dacht aan haar spontane vriendin en lachte. „Daar ben ik zeker van."

„Het hoort eigenlijk niet," bromde oom Stanley plotseling. Ze keken elkaar aan en schoten in de lach. „Nog iemand die op ons gaat passen," grinnikte Philip. „Deden ze dat in uw tijd niet, oom Stanley?"

„Jawel, maar niet in het openbaar. Sommige vrouwen beheksen mannen."

„Dat laat ik niet gebeuren. Hoewel een beetje vriendelijke hekserij misschien wel leuk is."

Hij keek naar Emma die hen nog steeds in de gaten hield. „Zullen we verstoppertje spelen?" stelde hij voor.

„Ja. Buiten."

Oom Stanley stond eveneens op. Het was tijd dat hier een frisse wind ging waaien, dacht Marit. Haar vriendin was dat zeker toevertrouwd, als ze de kans kreeg.

HOOFDSTUK 12

Michael en Jasmin waren inmiddels bij het ziekenhuis aangekomen. „Zal ik wel met je meegaan?" aarzelde Jasmin. „Ik zie er wel tegenop."

„Ik ook," gaf Michael toe. „Laten we maar eens kijken hoe ze reageert."

„Ik zal informeren of ze u kan ontvangen," zei de receptioniste. Na gebeld te hebben, knikte ze.

„U mag het niet te lang maken."

Ze werden naar de afdeling psychiatrie gestuurd en kregen een kaartje waarmee ze de deur konden openen en sluiten. „Ze ligt op een gesloten afdeling," fluisterde Jasmin.

Hij knikte. „Ik had niet anders verwacht." Dat dit zo plotseling kan gebeuren dacht Jasmin. Nog steeds voelde ze zich schuldig en was ze van mening dat zij dit proces in gang had gezet.

Toen zij over de Fariesgarden had geschreven was het balletje gaan rollen. Zij had Roelanda misschien kunnen tegenhouden. Maar zij had gewild dat de zaak grondig werd uitgezocht. En daardoor was niet alleen Joanna hopeloos in de war geraakt, er was ook grote kans dat Michael straks zonder Emma verder moest. En hij hield van het kind. Het kon niet anders of dit zou tussen hen in blijven staan. „Ik blijf wel op de gang wachten," zei ze toen Michael stilstond voor de deur waarop Joanna's naam stond.

Hij keek haar aan. „Zie de zaak onder ogen. Dat Joanna is ingestort was toch wel gebeurd, vroeg of laat."

Hij kende haar al zo goed dat hij bijna wist wat ze dacht. Maar hij had gelijk, het zou laf zijn de confrontatie uit de weg te gaan.

Joanna lag roerloos in het witte bed, de ogen gesloten. Ze leek bijna doorschijnend bleek, waardoor de sproetjes scherp afstaken. Ze leek een kind, dacht Jasmin met toch iets van medelijden. Michael ging naast het bed zitten en fluisterde haar nam.

Ze opende direct haar ogen. „Michael. Waar is Emma? Is alles goed met haar?"

„Met Emma is alles goed. Waarom liet je haar alleen achter, Joanna? Ze is nog maar een kind."

„Dat heb ik niet gedaan. Ik heb altijd goed voor Emma gezorgd."

Haar stem trilde en Michael suste: „Dat heb je. Dat zal niemand ontkennen. Maar nu ben je ziek."

„Dat zeggen ze. Wie zorgt er nu voor Emma?"

Haar blik ging naar Jasmin. „Jij toch zeker niet. Wat weet zij er van? Zij heeft nooit een kind gehad."

„Jij ook niet, Joanna. Dat weet je heel goed," zei Michael rustig. Jasmin hield de adem in. Ze kon niet beoordelen of het verstandig was daar nu over te beginnen. Maar ze begreep ook dat Michael zijn vrouw ter verantwoording wilde roepen. „Hoe kon je een kind stelen van iemand die naar ons land kwam om veiligheid te zoeken?" zei hij.

„Moeilijk was het niet. En jullie geloofden mijn verhaal, waar of niet?" Plotseling ging ze overeind zitten. „Zij moet weg, Michael. Dan kunnen wij gewoon weer verder leven. Laat haar gaan, ze heeft hier niets te maken. Komt ze kijken hoe het hier is? Er is geen enkele deur die zonder kaartje kan worden geopend. Ik ben hier opgesloten en dat is haar schuld. Vanaf het begin was het haar om jou te doen. Ze is zo doortrapt en gemeen."

Hoewel Jasmin heel goed wist dat ze Joanna niet kon aanrekenen wat ze eruit flapte, kwamen haar woorden toch hard aan. Ergens zat er immers een kern van waarheid in.

„Ik ga op zoek naar de echte moeder van Emma," zei Michael.

„En dan? Als je haar vindt?"

„Ze was toch die Somalische vrouw die indertijd zoveel teweeg bracht op het vliegveld?"

„Ja, ze maakte een hoop herrie. Terwijl dat kind haar alleen ongeluk bracht. Om haar was ze immers gevlucht."

Ze had dus alles wat er gebeurd was gevolgd, dacht Jasmin. En medelijden had ze niet opgebracht. Terwijl ze de wanhoop van de moeder had gezien, had ze het kind koelbloedig meegenomen naar Engeland. Waarschijnlijk had ze nooit meer aan de vrouw gedacht.

„Nou, wie weet vind je haar. En dan ben je het kind kwijt," zei Joanna, terwijl ze met een tevreden gezicht weer ging liggen.

„Jij ook," zei Michael.

„Ik ben nu ziek. En ik was haar eigenlijk toch zat. Ze wilde niet meer luisteren, ze wilde altijd naar haar, of naar die andere." Ze maakte een beweging naar Jasmin. „Als het kind mij dan niet wil, jullie zullen haar ook niet hebben. En jij ook niet, Michael. Je bleef toch om haar bij mij. Maar ik bleef ook niet bij je omdat ik zo gek op je was."

Ze draaide haar gezicht naar de muur, juist toen de zuster binnenkwam. „Het is tijd," zei deze vriendelijk.

„Ja, neem hen mee en laat hen nooit meer binnen."

„Kom kom, mevrouw, dat meent u niet."

„Ik heb nooit iets zo hartgrondig gemeend als dit." De zuster opende de deur en sloot deze weer zorgvuldig. „Ik ga zo weer naar haar toe. Het is tijd voor haar medicijnen. Trek het u niet aan. Ze weet niet wat ze zegt."

„Ik denk dat ze bij wijze van uitzondering heel goed weet wat ze zegt," zei Michael strak. Hij pakte Jasmins hand en hield deze stijf vast. Ze begreep dat dit bezoek hem erg had aangegrepen. Het viel ook niet mee om te horen te krijgen dat de afgelopen jaren niet meer waren geweest dan een netwerk van leugens en bedrog.

„Je gaat nu snel naar Italië?" veronderstelde Jasmin.

„Zo gauw mogelijk. Ik moet nog een en ander regelen. Ik kan het wel uitstellen, maar wat schieten we daar mee op? Ik zit dicht bij het vuur, een plaatsje in een vliegtuig is snel geregeld. Vanaf het vliegveld kunnen we dan een auto huren."

„En Emma nemen we mee?" zei ze half vragend. Ze waren intussen weer in de auto gestapt en Michael keek haar aan. „Er zit niks anders op. Ik weet dat er een kans is dat ik zonder haar terugkom." Jasmin beet op haar lip maar zei niets.

Het had geen zin om nu te beweren dat het wel zou meevallen.

Eenmaal thuis begon Michael wat telefoontjes af te handelen.

„Het is wel moedig dat hij dit doet. Er is toch een flink risico aan verbonden," zei Marit. Ze keek naar Emma die met Philip een spelletje deed.

„Dat weet hij. Maar op deze manier wil hij ook niet verder. En ik eigenlijk ook niet."

„Je bedoelt als jij Joanna's plaats inneemt en voor Emma gaat zorgen?"

„Ik wil niet verder gaan met een gestolen kind. Joanna's plaats innemen," herhaalde ze toen.

„Ik bedoel het niet verkeerd," zei Marit haastig. „Ik besef dat het onaardig klinkt."

„Maar het is in feite wel zo," maakte Jasmin haar zin af. „Ik heb daar heus wel moeite mee. Maar nu Joanna ons alle twee haar kamer uitschold, leek het wat gemakkelijker.. Michael zal haar heus niet aan haar lot overlaten."

Hoe dacht hij dat in te vullen? vroeg Marit zich af. Het was toch wel te hopen dat hij Joanna buiten zijn leven met Jasmin hield. Ze hadden nu gezien hoe gevaarlijk ze kon zijn. In elk geval waren ze voorlopig veilig voor haar.

Wat later kwam Michael bij hen zitten. Hij nam Emma bij zich op schoot. „We gaan een reisje maken," zei hij. „Over twee dagen, met een vliegtuig."

„Waarom?" vroeg het kind.

„Gaat mamma ook mee?"

„Nee, mamma niet. Jasmin gaat mee."

„O, nou goed dan," zei het kind alsof de toestemming van haar afhing. „Maar we komen hier toch wel terug?"

Michael mompelde iets, maar daar nam ze geen genoegen mee.

„Als we hier niet terugkomen, dan ga ik niet mee."

„We gaan maar een paar dagen weg," zei Michael, zonder haar vraag echt te beantwoorden. Ze keek hem wantrouwend aan maar zei niets meer. Michael wierp een hulpeloze blik naar Jasmin, die haar schouders ophaalde. Ze konden moeilijk de waarheid zeggen tegen het kind.

„Zullen wij even naar buiten gaan?" stelde Philip voor.

„Verstoppertje," riep het kind direct.

Toen ze alleen waren, zei Michael: „Alles is geregeld Ik heb ook een telefoonnummer van de moeder, maar ik durf haar niet te bellen."

„Laten we dat maar in Italië doen," stelde Jasmin voor.

„Dat is een beter idee. Ik wilde dat het maar achter de rug was. Ik ga natuurlijk niet zeggen: ik kom je dochter brengen. We kunnen Emma hier niet zomaar weghalen. Dat gaat in stappen. Eerst logeren bijvoorbeeld."

Jasmin zag het kind nog niet zonder protest logeren in een ander land bij een voor haar volkomen vreemde vrouw.

„Ik vind dat ik er nog eens met Joanna over moet praten. Ik kan haar het kind niet zomaar afnemen," was Michaels volgende opmerking.

„Het leek haar niet te interesseren," zei ze.

„Ze zat nu onder de medicijnen," zei Michael.

Jasmin begreep dat ze te hard oordeelde. Joanna was ziek.

„Ze heeft het heus wel begrepen," zei ze niettemin.

„Ze weet nog niets van ons vertrek naar Italië, dat is echt niet tot haar doorgedrongen," zei Michael. „Ze moet op de hoogte zijn."

Michael ging de volgende dag alleen naar Joanna en kwam behoorlijk aangeslagen terug.

„Je zou toch denken dat ze van het kind houdt. Ze zei: 'je doet maar. Ik hoef haar niet meer.'" Ze wordt trouwens overgeplaatst naar een psychiatrische inrichting. Het ziekenhuis is alleen voor korte opvang van dergelijke patiënten."

„Waaruit volgt dat dit wel eens lang kan gaan duren," trok Jasmin haar conclusie.

„Men had het over wonen met begeleiding. Het is waarschijnlijk dat ze hier nooit meer terugkomt. Ik zou het huis van haar kunnen kopen. Maar voorlopig is dat niet aan de orde. We gaan eerst naar Italië."

De reis verliep vlot. Emma had wat boekjes bij zich, maar ze vond het kijken naar mensen kennelijk interessanter. En ze wond de stewardess om haar vinger met haar donkere ogen en vriendelijk lachje. „Mooi kindje. Uit welk land komt ze?" vroeg de stewardess.

Ze denkt dat wij een gezin vormen met een geadopteerd

kind, dacht Jasmin toen Michael antwoord gaf. Het zou vandaag of morgen moeten blijken of die mogelijkheid er in zat. Roelanda had hen ook het adres van een hotel gegeven en daar reden ze vanaf het vliegveld rechtstreeks naar toe. Het was vanzelfsprekend dat ze samen een kamer namen. Een kinderbed werd erbij geplaatst. „Als ik al wilde fantasieën had, dan worden deze snel de kop ingedrukt doordat er een klein meisje op onze kamer slaapt," zei Michael met een plagende glimlach.

„Heb je die dan?"

„O zeker. Voor zover ik daar tijd voor had tussen alle problemen door."

Ze lachten en wisten beiden dat hun tijd nog wel zou komen.

„Ik ga haar nu bellen," zei Michael.

Jasmin ging in één van de stoelen op het balkon zitten en Emma kwam bij haar staan. Ze hadden uitzicht op het Gardameer dat schitterde in de felle zon. De lucht was strak blauw, zoals ze in Engeland maar zelden zagen. Vele bloemen kleurden de oever van het meer. Allerlei soorten bootjes dobberden op het water Simpele roeibootjes en speedboten.

Er voer ook een rondvaartboot voorbij met vrolijke vakantiegangers. Emma keek haar ogen uit. Ze was geboren in een warm land, misschien zou ze zich hier snel thuis voelen, dacht Jasmin.

Even later kwam Michael bij haar zitten. „Morgenochtend," zei hij.

„Ze had dus niet echt haast," concludeerde Jasmin.

„Haar man mag er niets van weten. Ze wil ons ontmoeten in het kleine kerkje achter de markt."

„Was ze niet blij?" vroeg Jasmin.

„Zo klonk ze niet. Ze leek mij eerder onzeker en bang."

„Kon je wel goed met haar praten?"

„Ze spreekt uitstekend Engels."

Ze aten die avond in het restaurant beneden, maar waren al vroeg op hun kamer. Van uitgaan was geen sprake nu Emma bij hen was. Het kind vond het reuze interessant dat zij, vanuit haar bed, Jasmin en Michael op het balkon kon zien zitten. Maar ze viel al snel in slaap.

„We moeten Emma morgen wel een beetje voorbereiden," zei Michael. Al weet ik niet hoe ik dat in het vat moet gieten. Het is toch veel te verwarrend voor het kind om te horen dat een bepaalde donkere vrouw haar moeder is. Wat moet ik over Joanna zeggen? Alles wat er gebeurd is, is voor Emma niet te bevatten."

„Laten we eerst maar eens afwachten wat Zahara zegt," stelde Jasmin voor.

De twee bedden waren een eind van elkaar geschoven en Jasmin dacht dat het misschien wel goed was. Er was toch een zekere spanning tussen hen. Toen Michael haar kuste, klemde ze zich aan hem vast en ze wist dat alleen het slapende kind hen tegenhield.

„Dit is niet het goede moment. Onze tijd komt wel," fluisterde Michael.

Was dat zo? vroeg Jasmin zich af toen ze eenmaal in bed lag. Wat als hij Emma hier moest achterlaten. Dan zou hij vast niet vriendelijk over haar denken, omdat zij dit alles in gang had gezet. En Joanna? Hij was met haar getrouwd en voelde zich verantwoordelijk voor haar.

„Je kunt niet met Joanna getrouwd blijven en mij erbij nemen," zei ze in het donker.

„Denk je dat ik dat van plan ben? Joanna en ik gaan natuurlijk scheiden."

„Hoe zal ze daarop reageren?"

„Dat is de vraag. Maar niets aan haar is echt. Als ze doet of ze verdriet heeft, hoeven wij dat niet serieus te nemen. Ze heeft immers nooit van mij gehouden."

De volgende morgen werden ze door Emma wakker gemaakt, die van het ene op het andere bed sprong. „Gaan we zwemmen?" vroeg ze. De zon scheen even uitbundig als de vorige dag en er waren alweer diverse bootjes op het meer.

„Er is een zwembad bij het hotel. Maar we gaan na het ontbijt eerst de stad in," zei Michael.

Jasmin werkte met moeite een van de harde broodjes naar

binnen. Ze merkte dat Michael ook gespannen was. Alleen Emma hapte met smaak in haar croissant.

Wat later gingen ze op weg naar het kerkje. Ze kwamen door een straat waar kennelijk markt werd gehouden. Veel soorten fruit werden er verkocht en kaas. Maar ook kleding en muziek. Het was er al gezellig druk en Jasmin zou ervan genoten hebben als ze niet zo zenuwachtig was geweest. De deur van het kerkje stond uitnodigend open.

„Waarom gaan we hier in?" vroeg Emma. De zonnige straat trok haar kennelijk meer aan.

Voor in de kerk zagen ze de vrouw zitten. Naast haar zaten twee kleine meisjes. Niemand keek om, ze moesten toch hun voetstappen horen? Direct achter de vrouw gingen ze in de bank zitten. „Jij bent dus Zahara," zei Michael.

De vrouw knikte kort. „Zeg maar wat je te zeggen hebt." Eensklaps draaide het grootste meisje zich om en Jasmin zag hetzelfde gezichtje als van Emma. Geen twijfel mogelijk. „Kijk naar je dochter," zei ze.

Daarop draaide de vrouw zich om en keek naar Emma. Jasmin zag tranen in haar ogen.

„Ik heb zoveel verdriet gehad," zei ze zacht.

„Er is u groot onrecht aangedaan. Wij willen dat goedmaken," zei Michael.

„Dat kan niet meer worden goedgemaakt. Als ik mijn man vertel dat ik nog een dochter heb van een andere man, dan zal hij mij de deur uitzetten."

„Wilt u haar aan ons overlaten?" vroeg Jasmin verbaasd, maar met enige hoop in haar stem.

„Ze hoeft niet voor altijd bij u te wonen. Maar ze zou eens bij u kunnen logeren, of u bij ons. Zodat we Emma op den duur kunnen vertellen wie haar echte moeder is."

„Wilt u haar niet houden?" vroeg Zahara nu. „Waar is degene die haar heeft meegenomen?"

„Om met het laatste te beginnen: Joanna is ziek. Ze kan niet voor haar zorgen. Dat zou Jasmin op zich nemen."

„Ik ben blij dat het goed met haar gaat. Ik kan zien dat zij echt mijn dochter is. Op haar pols heeft ze een moedervlekje, kijkt u maar." Ze nam het handje van Emma in de hare en wees het kleine plekje aan. Emma stond onrustig te wiebelen en ze trok haar hand zo snel mogelijk terug.

„Ze is een gelukkig kind. Bij mij zou ze niet gelukkig zijn. Nog afgezien van het feit dat ik op straat zou komen te staan en mijn andere kinderen kwijt zou zijn. De enige weg is dan de prostitutie. Er zijn meer vrouwen verstoten en dat is dan de enige manier om in leven te blijven."

„Heb je geld nodig?" vroeg Michael.

Zahara's ogen flikkerden even. „Je kunt mij niet kopen. Een mens is niet te koop. Wat ik vraag is, voed haar op tot een goed mens. En als ze gaat vragen, vertel haar dan hoe het is gegaan. Ik wil niet dat ze denkt dat ik haar als baby vrijwillig heb afgestaan. Misschien dat ze, als ze volwassen is, zelf deze kant op komt."

„Ik wil je geld geven voor de opvoeding van je andere dochters," zei Michael die zijn portefeuille trok. „Ik moet dan wel even geld opnemen. Ga met ons mee iets drinken."

Zahara stond op. „Waar wilt u heen?"

„Aan de oever van het meer is een mooie gelegenheid," zei Michael.

„Goed dan." De vrouw nam de twee meisjes bij de hand. Eenmaal buiten keek ze wat schichtig om zich heen. „Is je man hier in de buurt?" vroeg Jasmin.

„Nee, hij werkt in een andere stad. Maar er zijn meer mensen die mij kennen. Daarom ben ik hierheen gekomen. In deze wijk wonen geen mensen zoals wij."

„Woon je wel in een gewoon huis? Ik bedoel: niet met andere gezinnen?" wilde Jasmin weten

„Ja. Maar het haalt het natuurlijk niet bij hetgeen ik op de foto zag."

Later zaten ze aan een tafel onder de pergola en dronken ze een heerlijke mix van tropische vruchten. De drie meisjes zaten naast elkaar. Het moest voor iedereen duidelijk zijn dat ze zusjes waren, hoewel de kleding van Emma afweek. Toen Michael terugkwam, overhandigde hij Zahara een enveloppe.

„Voor jou en je kinderen," zei hij nadrukkelijk.

Ze glimlachte vaag. „In geen enkel ander geval zou ik dit voor mijn man verborgen houden. Maar voor hun toekomst moet ik wel." Ze maakte een lichte buiging met haar hoofd. „Ik dank u hartelijk."

De buiging had totaal niets onderdanigs. Deze vrouw had een waardigheid en stijl die Jasmin bewonderde.

„Het spijt me dat ik niet eerder heb geweten hoe de zaak in elkaar zat. Dan was je veel verdriet bespaard gebleven."

Ze knikte alleen, zei even later: „Het is niet anders. Ik ben blij dat het goed met haar gaat. Ik zou het kind niet kunnen aandoen haar bij jullie weg te halen. Ze zou diep ongelukkig worden." Ze dronk rustig haar glas leeg. Haar ogen lieten Emma niet los. Het leek of ze elk detail van Emma's gezichtje in haar geheugen wilde vastleggen. Toen ze opstond gleden de beide andere kinderen ook van hun stoelen en gingen naast haar staan. Ze stak een hand uit naar Emma, maar deze trok zich terug. „Geef eens een handje," zei Jasmin.

„Ik wil niet mee," zei Emma stellig. Er klonk een begin van paniek in haar stem.

„Dat hoeft niet," zei Zahara vriendelijk. Onwillig legde Emma haar handje in de hare.

„In de enveloppe zit ook een foto van haar," zei Michael nu.

„Hartelijk dank," zei ze, voor de tweede keer met dat knikje. Na hen ook te hebben gegroet, ging ze weg. Een kaarsrechte gestalte met aan iedere hand een kind. Ze keek niet meer om.

„En nu? Ben je opgelucht?" Jasmin keek hem aan.

„In zekere zin. Maar ik denk dat de verantwoordelijkheid voor dit kind zwaarder weegt dan voor eigen kinderen. Jasmin, heb jij je gerealiseerd dat jíj, als wij samen verder gaan, een dochter krijgt?"

„Dat heb ik begrepen."

Een beetje onzeker keek hij haar aan. „Stel dat ik niet voor Emma wil zorgen. Wat ga jij dan doen?" vroeg Jasmin, nieuwsgierig naar het antwoord.

„Dan plaats je mij voor een onmogelijk dilemma."

„Dat ben ik niet van plan, Michael. Emma en ik zijn al vriendjes."

Een verheugde glimlach gleed over zijn gezicht. „Ik ga het

thuisfront bellen. Laten we teruggaan naar het hotel. Daar kunnen we rustig praten."

Als Jasmin had gedacht dat Michael uitvoerig over Zahara zou vertellen, kwam ze bedrogen uit. Dat kwam later pas. Zijn eerste opmerking was: „Jasmin en ik gaan, zodra het mogelijk is, trouwen."

„Een scheiding is tegenwoordig snel geregeld," klonk het nuchter van de andere kant.

„Ik moet wel aan Joanna denken. Kan ik haar voor een feit stellen? Kan ze dat wel aan?"

Philip slaakte een diepe zucht. „Het is jouw zorg niet wat Joanna aankan. Jij hebt de laatste jaren alleen maar rekening met haar gehouden. En wat heeft het opgeleverd? Ga nu maar eens aan jezelf denken."

„Waarschijnlijk het proberen waard," reageerde Michael.

„We gaan morgen naar huis," zei hij even later tot Jasmin.

„Naar huis," herhaalde Jasmin. Dat werd dan de eerste stap naar een nieuw leven. Een nieuw begin ook voor Michael. Er moesten nog allerlei zaken worden geregeld, problemen worden opgelost. Maar de toekomst lag voor hen open.

„We gaan naar huis," zei ze nog eens.

„En we maken er een thuis van," vulde Michael aan. „Maar, wat Philip zegt: 'Joanna is jouw zorg niet meer', daar ben ik het niet helemaal mee eens."

„Dat begrijp ik," glimlachte Jasmin. „Jij laat mensen niet zomaar in de steek." Het was wel de vraag of Joanna Michaels zorg nog wilde.

Een thuis was de Fairiesgarden voor Michael nooit geweest, besefte Jasmin. Daar zou nu verandering in komen. „Ik zou je zo graag gelukkig willen zien," zei ze zacht.

„Dat ben ik zodra jij in mijn buurt bent. Heb je dat nog niet gemerkt?" Hij strekte zijn hand naar haar uit en ze legde de hare erin.

„Wat gaan jullie doen?" vroeg Emma.

„We gaan elkaar voor altijd vasthouden," antwoordde Michael.

„Dat kan niet," zei Emma stellig. Maar ze legde ook haar

175

handje in de zijne. „Ik bedoel dat we altijd bij elkaar blijven,"
glimlachte Michael.
„Ja, natuurlijk doen we dat," zei het kind.
„Wat een vertrouwen," zei Michael zacht.
„Wij moeten ervoor zorgen dat ze dat vertrouwen nooit kwijt
raakt," antwoordde Jasmin. En zo moest het gaan. Liefde en
vertrouwen als basis voor hun toekomstige leven.